LÀ OÙ J'IRAI

GAYLE FORMAN

LÀ OÙ J'IRAI

Traduit de l'anglais (États-Unis)
par Marie-France Girod

OH ! ÉDITIONS

Titre original :
WHERE SHE WENT

Le papier de cet ouvrage est composé de fibres naturelles, renouvelables, recyclables et fabriquées à partir de bois provenant de forêts plantées et cultivées durablement pour la fabrication du papier.

Loi n° 49-956 du 16 juilllet 1949 sur les publications destinées
à la jeunesse : novembre 2011.

À mes parents, qui m'ont dit « tu peux »

Il se pourrait qu'en des heures pénibles
Aux prises avec la douleur et criant grâce
Ou dans un tel besoin qu'il en devient terrible
Je doive vendre ton amour, de guerre lasse
Ou le souvenir de cette nuit pour manger.
Il se pourrait. Rien ne dit que je le ferais.

« L'Amour n'est pas tout : il n'est ni viande, ni boisson »

EDNA ST. VINCENT MILLAY

Un

Chaque matin, en m'éveillant, je me dis : *Ce n'est qu'une journée, vingt-quatre heures à passer.* Je ne sais plus ni quand ni pourquoi j'ai pris l'habitude de cet encouragement quotidien. On dirait l'une des douze étapes de ces groupes d'Anonymes, dont je ne fais pourtant pas partie. Encore qu'à lire les âneries qu'on écrit sur moi, on pourrait penser que je devrais. Je mène le genre de vie devant lequel beaucoup bavent d'envie. Et malgré tout, j'éprouve le besoin de me rappeler la durée d'une journée, pour me persuader que si j'ai réussi à passer celle de la veille, j'irai au bout de la prochaine.

Après mon petit mantra, je jette un coup d'œil à la pendulette minimaliste posée sur la table de nuit de l'hôtel. Elle indique 11 h 47, autrement dit l'aube, pour moi. La réception m'a déjà téléphoné deux fois pour me réveiller et notre manager, Aldous, a pris le relais, poliment, mais fermement. La journée qui m'attend n'a peut-être que vingt-quatre heures, mais elle s'annonce bien remplie.

Je dois aller au studio enregistrer les dernières pistes de guitare de la version vendue sur Internet du premier single de notre album qui vient de sortir. Un gadget. Même chanson, nouvelle piste de guitare, quelques effets vocaux, mais un dollar plus cher. Comme nous le serinent les pontes du label : « De nos jours, il ne faut pas laisser passer les bonnes occases. »

Ensuite, je déjeune avec une journaliste du magazine *Shuffle*. L'enregistrement et le déjeuner symbolisent les pôles de ce qu'est devenue ma vie : faire de la musique, ce que j'adore, et parler de ma musique, ce que je déteste. Mais l'un ne va pas sans l'autre. Lorsque Aldous rappelle, je sors enfin du lit. Au passage, j'attrape le flacon de tranquillisants que je suis censé prendre chaque fois que j'ai les nerfs en boule.

Les nerfs en boule, c'est mon état normal. J'ai fini par m'y faire. Mais depuis que nous avons démarré la tournée par trois concerts au Madison Square Garden, je ressens autre chose. L'impression d'être au bord d'un puissant tourbillon prêt à m'aspirer. Une sensation maelströmienne.

Ça existe, ça, maelströmienne ?

Quelle importance, puisque tu te parles à toi-même, me dis-je en avalant deux comprimés. Je passe un caleçon et je vais ouvrir la porte de ma chambre. Un pot de café m'attend devant, déposé là par un employé de l'hôtel qui a sans doute pour instruction de ne me déranger sous aucun prétexte.

Mon café bu, je m'habille, puis je prends l'ascenseur de service et sors par la porte latérale. La direction m'a gentiment fourni des clés spéciales, pour me permettre d'éviter les groupies hystéros dans le hall. Une bouffée brûlante d'air new-yorkais m'accueille sur le trottoir. L'impression d'entrer dans un bain de vapeur. C'est étouffant, mais j'apprécie le côté humide. Ça me rappelle l'Oregon, où il pleut sans cesse. Même au cœur de l'été, des cumulus blancs parsèment le ciel, pour nous rappeler que la chaleur estivale est éphémère et que la pluie n'est jamais bien loin.

À Los Angeles, où je vis maintenant, il ne pleut presque jamais. Et il fait tout le temps chaud. Mais c'est une chaleur sèche, au contraire de New York. Les habitants le répètent tout le temps, comme pour la rendre plus supportable.

Lorsque j'arrive au studio, un bon kilomètre plus loin, mes cheveux, que j'ai cachés sous une casquette, sont trempés. Je tire une cigarette de ma poche et l'allume d'une main tremblante. Depuis un an à peu près, j'ai la tremblote. Après je ne sais combien d'examens, les médecins ont décrété que c'était juste de la nervosité et m'ont prescrit le yoga.

Aldous m'attend à l'extérieur. Il me jette un coup d'œil, regarde ma cigarette. À son air, je sais qu'il est en train de se demander s'il va jouer au flic gentil ou au flic méchant avec moi. Je dois avoir une tête épouvantable, parce que c'est le flic gentil qui sort gagnant de la compétition.

« Bonjour, astre du matin, me lance-t-il, jovial.

— Je ne brille pas terriblement à cette heure-ci. »

J'essaie de mettre de l'humour dans ma voix.

« Techniquement, c'est déjà l'après-midi. On va être en retard. »

J'écrase ma cigarette. Aldous pose sa bonne grosse patte sur mon épaule.

« Il nous faut juste une piste de guitare pour *Mon cœur*, histoire de lui donner ce petit supplément qui va faire se précipiter les fans », déclare-t-il.

Là-dessus, il éclate de rire et secoue la tête à l'idée de ce que le business est devenu.

« Ensuite, tu as ton déjeuner avec *Shuffle*, et vers dix-sept heures un shooting du *Times* avec le reste du groupe pour la soirée Fashion Rocks. Puis un verre avec des financiers dans les locaux du label et moi je file à l'aéroport. Demain, tu vois rapidement les gens de la pub et du merchandising. Tu n'as pas besoin de beaucoup parler. Contente-toi de sourire. Ensuite, tu seras en compagnie de toi-même jusqu'à Londres. »

En compagnie de moi-même ? Par contraste avec le chaud cocon familial quand nous sommes tous ensemble ? me dis-je.

Je me parle de plus en plus souvent. Et d'ailleurs, ce n'est pas plus mal, étant donné la tournure que prennent généralement mes pensées.

Ce soir, pourtant, je vais être vraiment seul. Aldous et le reste du groupe partent pour l'Angleterre. Je devais prendre le même avion, et puis je me suis rendu compte qu'on serait vendredi 13. Alors là, pas question ! J'appréhende déjà suffisamment cette tournée, je ne vais pas en plus tenter le sort en voyageant le jour de malchance par excellence. J'ai donc demandé à Aldous de me prendre un billet pour le lendemain. À Londres, on doit tourner une vidéo et rencontrer la presse avant d'entreprendre la partie européenne de notre tournée. Je ne manque donc pas un concert, juste une rencontre préliminaire avec le réalisateur. Mais je n'ai pas besoin qu'il m'explique sa vision artistique. Quand le tournage commencera, je ferai ce qu'il me dira, tout simplement.

Je suis Aldous dans le studio et je pénètre dans une cabine insonorisée où se trouve une rangée de guitares. De l'autre côté de la vitre, il y a notre producteur, Stim, et les ingénieurs du son. Aldous les rejoint.

« OK, Adam, dit Stim, juste une piste de plus sur le bridge et le chorus. Histoire de rendre ce hook un peu plus sticky. On jouera sur les vocals au moment du mix.

— Pigé. Hooky. Sticky. »

Je place les écouteurs sur mes oreilles et je prends ma guitare pour l'accorder et me chauffer un peu.

Malgré ce qu'a dit Aldous il y a quelques minutes, je sens *déjà* la solitude. La solitude d'une cabine insonorisée.

N'y pense pas trop. C'est comme ça qu'on enregistre dans un studio technologiquement avancé.

Le problème, c'est que j'ai eu la même impression récemment au Madison Square Garden. Ce soir-là, j'étais sur scène, face à dix-huit mille fans, entouré par des gens qui, par le passé, avaient fait partie de ma famille, et pourtant j'éprouvais le même sentiment de solitude qu'en cet instant, dans cette cabine.

Ce pourrait être pire, néanmoins. Je commence à jouer et bientôt mes doigts se dégourdissent, je quitte mon tabouret et me mets à marteler ma guitare jusqu'à ce qu'elle hurle et gémisse comme je le souhaite. Ou presque. Il y en a pour une fortune en guitares dans cette pièce, mais aucune n'a le même son que ma bonne vieille Les Paul Junior, celle avec laquelle j'avais enregistré nos premiers albums et que, dans un accès de stupidité ou d'orgueil démesuré, j'ai laissé mettre aux enchères lors d'un gala de charité. Les autres ne l'ont jamais vraiment remplacée. Pourtant, en poussant celle-ci à fond, j'arrive à tout donner pendant quelques instants.

Mais c'est déjà terminé. Stim et les ingénieurs du son viennent me serrer la main en me souhaitant une bonne tournée. Aldous me conduit au-dehors, où une voiture nous attend. Nous filons bientôt le long de la 9ᵉ Avenue en direction de SoHo, où se trouve le restaurant d'hôtel que les attachés de presse du label ont choisi pour l'interview. Franchement, est-ce qu'ils croient que je risque moins de fulminer ou de sortir un truc antipathique dans un endroit cher ? Je me souviens de l'époque de nos débuts, quand nous étions interviewés par des auteurs de webzines ou de blogs, de vrais fans qui voulaient avant tout discuter de rock et de musique. Ils tenaient à rencontrer l'ensemble du groupe. La plupart du temps, cela tournait à la conversation banale, chacun s'efforçant d'imposer son point de vue. Je ne pensais pas alors à contrôler mes paroles. Mais aujourd'hui, les journalistes nous interrogent séparément, le groupe et moi, comme des flics qui tentent d'obtenir des auteurs d'un mauvais coup qu'ils mouillent leurs complices.

Avant le déjeuner, j'ai envie d'une cigarette. Je reste donc avec Aldous devant l'entrée de l'hôtel dans la lumière aveuglante de la mi-journée, tandis que des passants m'observent sans en avoir l'air. C'est ce qui différencie New York du reste du monde. On y est tout aussi intéressé qu'ailleurs par les célébrités, mais les gens – du moins les snobs qui flânent dans le coin de SoHo où je me trouve actuellement – font semblant d'être indifférents, même s'ils ne se gênent pas pour vous dévisager, dissimulés derrière leurs lunettes noires à trois cents dollars. Ils considèrent avec mépris les ploucs de province qui ne respectent pas le code et se précipitent pour demander un autographe, comme viennent de le faire deux jeunes filles vêtues d'un sweat-shirt d'une université du Michigan, sous le regard outré d'un trio de prétentieux qui m'adressent ensuite un coup d'œil de sympathie. Comme si c'était *elles* le problème.

« Il va falloir te trouver un meilleur déguisement, Wilde Man », me lance Aldous quand les filles s'éloignent, tout excitées.

Mon manager est le seul qui a encore le droit de m'appeler ainsi. Avant, c'était un surnom qu'on me donnait, en jouant sur mon nom de famille, Wilde, et *Wild Man*, le Sauvage. Mais depuis que j'ai quelque peu saccagé une chambre d'hôtel, les tabloïds s'en sont emparés et le ressortent systématiquement.

Voilà maintenant un photographe qui fait son apparition. Impossible de rester plus de trois minutes devant un hôtel chic sans que cela se produise.

« Adam ! Bryn est à l'intérieur ? »

Une photo de Bryn et moi vaut quatre fois plus qu'un cliché de moi seul. Mais dès le premier flash, Aldous place une main sur l'objectif du type et l'autre devant mon visage.

Tout en me poussant à l'intérieur, il me briefe sur le déjeuner.

« La journaliste s'appelle Vanessa LeGrande. Tu vas voir, ce n'est pas le genre de bonne femme grisonnante que tu détestes. Elle est jeune. Une petite vingtaine d'années. Elle écrivait pour un blog lorsqu'elle a été engagée par *Shuffle*. »

Je le coupe.

« Quel blog ? »

Aldous me donne rarement des détails sur les journalistes s'il n'a pas une bonne raison pour cela.

« *Gabber*, je crois, mais je n'en suis pas certain.

— Mais c'est un site de potins merdiques, Al !

— *Shuffle* n'est pas un site de potins. Et tu fais la couverture en exclusivité.

— D'accord. De toute façon, je m'en fiche. »

Je pousse la porte du restaurant. La décoration est la même que partout où je suis allé : banquettes de cuir et tables de verre et d'acier. Des endroits prétentieux qui ne sont en fait que des versions design et hors de prix du McDo.

« C'est la blonde méchée qui attend là-bas, à la table d'angle, me glisse Aldous. Craquante, non ? Quoique tu ne sois pas en manque de filles craquantes. Eh ! ne répète pas à Bryn ce que je viens de dire ! Je t'attends au bar. »

Aldous va rester le temps de l'interview ? Mais c'est le boulot d'un attaché de presse, ça ! Sauf que j'ai refusé d'être chaperonné par des attachés de presse.

Je dois vraiment avoir l'air à côté de mes pompes.

« Tu fais du baby-sitting, Aldous ?

— Non. Simplement, j'ai pensé que tu pouvais avoir besoin de renfort. »

Effectivement, Vanessa LeGrande est mignonne. *Hot* serait plus exact. Qu'importe, d'ailleurs. On voit bien qu'elle le sait, à sa façon de s'humecter les lèvres et de rejeter ses cheveux en arrière, et ça fiche tout par terre. Elle a un serpent tatoué sur son poignet et je parierais notre album de platine qu'un autre tatouage orne sa chute de reins. Bingo, quand elle se penche pour prendre son magnéto numérique dans son sac, j'aperçois le dessin d'une flèche qui pointe vers le bas, au-dessus de la ceinture de son jean taille basse. Classieux.

« Salut, Adam ! lance Vanessa en me regardant d'un air complice, comme si nous étions de vieux copains. Je peux te dire que je suis une fan inconditionnelle ? *Dommage collatéral* m'a aidée à tenir le coup à la fac dans des moments noirs de chez noir. Alors, merci ! »

Elle me sourit.

« Euh… de rien.

— Je tiens à te renvoyer l'ascenseur en brossant un portrait de Shooting Star tellement d'enfer qu'il va les laisser tous sur le cul. Allez, on prend le truc à bras-le-corps ? »

Est-ce que les gens comme elle s'entendent parler, quelquefois ?

Cette Vanessa peut toujours essayer de m'avoir au culot, au charme ou à tout ce qu'elle veut, ça ne marche pas.

« D'accord », dis-je. Sobre.

À ce moment-là, la serveuse arrive. Vanessa commande une salade, moi une bière. Vanessa feuillette un carnet à la couverture de moleskine.

« Je sais qu'on est censés parler de *Soleil vampire*… » commence-t-elle.

Je fronce les sourcils. On est ici *exactement* pour ça. Pas pour jouer aux amis. Pas pour échanger des secrets. Mais parce que ça fait partie de mon boulot d'assurer la promo des albums de Shooting Star.

La voilà qui entame son couplet.

« Je l'écoute en boucle depuis des semaines, et pourtant je peux dire que je ne suis pas facile à satisfaire. »

Elle éclate de rire. J'entends Aldous qui se racle la gorge, un peu plus loin, et je lui jette un coup d'œil. Il lève le pouce en arborant un sourire de faux-jeton. Ça lui donne l'air idiot. Je me tourne vers Vanessa et me force à sourire.

« Mais, poursuit-elle, maintenant que votre second album avec une major sort et que vous avez installé un son plus hard, disons, je veux établir un panorama définitif. Montrer comment le groupe émocore que vous étiez est devenu l'héritier de l'agita rock. »

Héritier de l'agita rock ? Ce jargon déconstructionniste de merde dont certains avaient plein la bouche me déconcertait au début. Moi, j'écrivais des chansons : cordes, beats, textes, rimes, bridges, hooks. Et puis, au fur et à mesure qu'on a pris de l'importance, les gens se sont mis à disséquer ces titres comme une grenouille en cours de biologie, jusqu'à ce qu'il n'en reste plus rien, juste quelques entrailles éparses.

Je lève les yeux au ciel, mais Vanessa ne s'en aperçoit pas. Elle est concentrée sur ses notes.

« J'ai écouté des bootlegs de vos titres du début, reprend-elle. À côté, c'est incroyablement pop, presque suave. J'ai lu tout ce qui a été écrit sur le groupe, les articles de webzines, les messages sur les blogs. Il n'y en a pas un qui ne parle pas de ce "trou noir" de Shooting Star, mais ils s'arrêtent là. Je veux dire : vous sortez chez votre petit label indie, ça marche bien, vous êtes en piste pour jouer dans la cour des grands, et puis plus rien. Des bruits de rupture ont couru. Et soudain, *Dommage collatéral*. Et là, boum ! »

Vanessa mime une explosion avec ses mains.

La description est outrée, mais elle n'a pas tort. *Dommage collatéral* est sorti il y a deux ans, et en un mois, le single, « Animé », était dans les charts et connaissait un succès instantané. Impossible d'écouter la radio une heure sans l'entendre. À son tour, « Pont » a été catapulté dans les charts et bientôt tout l'album était numéro 1 sur iTunes, ce qui a boosté les ventes, avant de déloger Lady Gaga de la première place du Billboard. Pendant un moment, on a eu l'impression que la totalité des jeunes de douze à vingt-quatre ans le téléchargeaient sur leur iPod. Et en quelques mois, notre groupe de l'Oregon à moitié tombé dans l'oubli faisait la couverture de *Time Magazine*, qui le bombardait « le Nirvana du millénaire ».

Cela n'a rien de nouveau. On en a parlé en long et en large, jusqu'à la nausée, y compris dans *Shuffle*. Je me demande où Vanessa veut en venir.

« En fait, continue-t-elle, on attribue généralement votre son plus hard au fait que Gus Allen a produit *Dommage collatéral*.

— Exact, dis-je. Gus aime que ça tape. »

Vanessa boit une gorgée d'eau et son piercing sur la langue tinte.

« Mais Gus n'a pas écrit le texte, et c'est au texte qu'on doit tout ce peps. Les paroles sont de toi. Une injection de force et d'émotion pure. Je dirais que *Dommage collatéral* est l'album le plus furieux de la décennie.

— Quand je pense qu'on visait l'album "le plus heureux"… »

Vanessa me dévisage, les yeux plissés.

« Je l'entendais comme un compliment. C'était une catharsis pour beaucoup de gens, moi la première. Et voilà où je veux en venir. On sait tous que quelque chose s'est passé pendant votre "trou noir". Ça va sortir un jour ou l'autre, alors pourquoi ne pas contrôler le message ? Qui est le "dommage collatéral" auquel la chanson fait allusion ? Qu'est-ce qui vous est arrivé ? Qu'est-ce qui t'est arrivé ? »

La serveuse apporte sa salade et je commande une autre bière sans répondre. Car Vanessa a raison sur un point. Nous contrôlons le message, effectivement. Au début, face aux questions incessantes sur le sujet, on se contentait de phrases vagues, disant qu'on avait pris un peu de recul pour trouver notre son, pour écrire nos textes. Mais aujourd'hui, le groupe est suffisamment connu pour que les attachés de presse transmettent aux journalistes la liste des sujets proscrits : la relation entre Liz et Sarah, celle entre Bryn et moi, les anciens problèmes de drogue de Mike – et le « trou noir » de Shooting Star. Vanessa n'a pourtant pas l'air d'avoir reçu le mémo. Désemparé, je cherche à croiser le regard d'Aldous, mais il est en grande conversation avec le barman. Merci pour le renfort.

« Le titre fait référence à la guerre, dis-je. On l'a déjà expliqué.

— Exact. Tes textes sont *terriblement* politiques. »

Elle se tait et fixe sur moi ses grands yeux bleus. C'est une technique de journaliste : créer un silence pénible et attendre que l'interviewé le remplisse. Désolé, ça ne fonctionne pas avec moi. Je suis capable de battre n'importe qui à ce jeu.

Brutalement, le regard de Vanessa se durcit. Elle remise au garage sa personnalité « flirt et légèreté » et m'offre une expression d'ambition pure et dure. Elle a l'air avide, mais c'est mieux, car au moins elle est elle-même.

« Qu'est-ce qui s'est passé, Adam ? Je sais qu'il y a une histoire derrière tout ça, l'histoire de Shooting Star avec un grand "H". Et c'est moi qui vais la raconter. Alors, qu'est-ce qui a transformé un groupe indie-pop en phénomène de rock primitif ? »

J'ai soudain l'estomac noué.

« Entre-temps, il y a eu la vie. Et il nous a fallu un bon moment pour écrire les nouvelles chansons…

— Et il *t'a* fallu un bon moment, corrige Vanessa. C'est toi qui as écrit les deux disques récents. »

Je me contente d'un haussement d'épaules.

« Adam, *Dommage collatéral* est ton disque. Un chef-d'œuvre. Tu devrais en être fier. Et je sais que l'histoire qui est derrière ce disque et derrière le groupe est aussi la tienne. C'est à toi qu'on doit ce bond gigantesque entre un quartette de label indie collaboratif et un groupe émopunk survitaminé piloté par une star. Je veux dire : c'est toi seul qui étais là pour recevoir le prix de la meilleure chanson aux Grammys. Quelle impression ça t'a fait ? »

C'était à chier.

« Au cas où tu l'aurais oublié, le prix du meilleur nouvel artiste a été décerné à tout le groupe. Et c'était il y a plus d'un an. »

Elle approuve d'un signe de tête.

« Bon, je n'essaie pas de rabaisser qui que ce soit, ni de rouvrir de vieilles blessures. J'essaie simplement de comprendre ce grand changement. Dans le son. Dans les textes. Dans la dynamique du groupe. »

Elle me jette un regard sagace avant de reprendre :

« Tout démontre que tu as été le catalyseur.

— Il n'y a pas de catalyseur. On a juste bricolé notre son. Ça arrive tout le temps. Comme quand Dylan est passé à l'électrique ou Liz Phair au commercial. Mais les gens ont tendance à flipper quand on ne correspond pas à leurs attentes.

— Moi, je sais qu'il y a autre chose, s'obstine Vanessa en se penchant vers moi avec une telle violence que la table me rentre dans le ventre et que je dois la repousser.

— Visiblement tu as ta théorie, dis-je. Donc pas la peine de s'embarrasser avec la vérité. »

Ses yeux lancent des éclairs et je crois lui avoir rivé son clou, mais elle lève les mains en l'air. Je remarque qu'elle se ronge les ongles.

« Tu veux connaître ma théorie ? » articule-t-elle d'une voix traînante.

Non, pas particulièrement.

« Je t'écoute.

— J'ai parlé à certains de tes anciens camarades de lycée. »

Je sens mon corps se figer, se changer en plomb. Il me faut une énorme dose de concentration pour porter le verre à mes lèvres et faire semblant d'avaler une gorgée.

« J'ignorais que tu avais fréquenté le même lycée que Mia Hall, poursuit-elle. Tu la connais ? La violoncelliste ? Un buzz commence à se créer autour d'elle.

Ou ce qui est l'équivalent du buzz en musique classique. Un murmure, on va dire. »

Le verre tremble dans ma main et je dois m'aider de l'autre main pour le reposer sur la table sans renverser son contenu sur moi.

Tous ceux qui savent ce qui s'est vraiment passé à ce moment-là ne parlent pas. Les rumeurs, même justifiées, sont comme les flammes : privées d'oxygène, elles s'éteignent d'elles-mêmes.

« Notre lycée dispensait un excellent enseignement artistique, dis-je. C'était une vraie pépinière de musiciens. »

Vanessa hoche la tête.

« Il y a une vague rumeur selon laquelle Mia et toi sortiez ensemble au lycée. Bizarrement, je ne l'ai jamais lu nulle part alors que ça vaut la peine d'être noté. »

L'image de Mia passe devant mes yeux. Dix-sept ans, des yeux sombres pleins d'amour, d'intensité, de crainte, de sexualité, de magie, de chagrin. Ses mains glacées.

« Ça vaudrait la peine d'être noté si c'était vrai », dis-je en m'efforçant de garder un ton uni.

Je fais signe à la serveuse de m'apporter une autre bière. C'est la troisième, le dessert de mon déjeuner liquide.

« Et ça ne vaut pas la peine ? interroge Vanessa, apparemment sceptique.

— Ben non. On a fréquenté la même école, c'est tout.

— Effectivement, je n'ai trouvé personne pour confirmer. Mais j'ai mis la main sur un vieil album de classe avec une mignonne photo d'elle et toi. Vous avez l'air de deux tourtereaux, je trouve. Évidemment, comme il n'y a aucune légende, si on ne sait pas à quoi ressemble Mia, on passe à côté du truc. »

Merci à Kim Schein : meilleure amie de Mia, reine de l'album de fin d'année et paparazzo. On avait refusé que ce cliché soit utilisé, mais Kim avait tourné la difficulté en ne mettant pas nos noms, juste nos stupides surnoms.

« Geek et Groovy ? demande Vanessa. Vous aviez même un titre de noblesse !

— Parce que tu prends tes sources dans les albums de lycée ?

— Tu n'es pas vraiment une source fiable, Adam. Tu viens de me dire que vous fréquentiez la même école, "sans plus".

— Bon, on a peut-être eu une petite histoire pendant quelques semaines, au moment où ces photos ont été prises. Mais si tu veux savoir, je suis sorti avec pas mal de filles au lycée. »

J'accompagne cette déclaration de mon sourire play-boy le plus éblouissant.

« Donc, tu ne l'as pas revue depuis ?

— Non, pas depuis qu'elle est allée à la fac. »

Ça, au moins, c'est vrai.

« Alors comment se fait-il que lorsque j'ai interviewé les autres membres de Shooting Star à son sujet, tous ont entonné en chœur le refrain *"no comment"* ? » demande-t-elle en me scrutant du regard.

Parce que même s'il y a un problème entre nous, nous sommes toujours loyaux. À ce sujet.

Je me force à répondre d'un ton vif :

« Parce qu'il n'y a rien à raconter. Les gens comme toi adorent le côté feuilleton télé d'une histoire d'amour entre deux musiciens célèbres, anciens camarades de lycée.

— Les gens comme moi ? »

Les charognards. Les vampires. Les voleurs d'âmes.

« Les journalistes, dis-je. Vous aimez bien les contes de fées.

— Comme tout le monde, non ? Sauf que la vie de cette jeune femme n'a rien eu d'un conte de fées. Elle a perdu toute sa famille dans un accident de voiture. Brrr ! »

Vanessa simule une série de frissons, comme font les gens en évoquant un malheur qui ne les touche pas directement. Je n'ai jamais frappé une femme, mais pendant un instant, j'ai envie de la gifler, pour qu'elle ait au moins une petite idée de la douleur qu'elle évoque avec une telle désinvolture. Je me retiens, bien sûr, et sans se rendre compte de rien, elle poursuit :

« À propos de contes de fées, est-ce que Bryn Shraeder et toi allez avoir un bébé ? Elle est toujours dans la rubrique "rumeurs de grossesse" des tabloïds.

— Non, pas que je sache. »

Je suis sûr et certain que Vanessa sait que ce sujet est off limits, mais si la grossesse supposée de Bryn peut la distraire, je veux bien m'y coller.

« *Pas que tu saches* ? Vous êtes pourtant toujours ensemble, non ? »

Quelle avidité dans ses yeux ! Malgré ses talents d'enquêteuse et son bla-bla sur sa volonté de rédiger un panorama définitif, elle n'est pas différente des autres pisse-copies et chasseurs d'images qui donneraient n'importe quoi pour un scoop, que ce soit à propos d'une naissance : *Des jumeaux pour Adam et Bryn ?* ou d'une disparition : *Bryn à son Wilde Man : C'est fini !* Aucun de ces deux titres n'est le reflet de la vérité, mais il m'arrive de les voir la même semaine en couverture de différents tabloïds.

Je pense à la maison que Bryn et moi partageons à Los Angeles. Ou plutôt celle où nous cohabitons, car je ne sais même plus quand nous y sommes restés ensemble plus d'une semaine. Elle tourne deux ou trois films par an, et elle vient juste de monter sa boîte de production. Autant dire qu'entre son travail de prod, le tournage et la promotion de ses films, et mes tournées et mes enregistrements, nous ne faisons que nous croiser.

« Oui, nous sommes toujours ensemble, dis-je à Vanessa, et elle n'est pas enceinte. Simplement, elle porte ces tops amples qui peuvent laisser penser qu'elle dissimule un ventre arrondi. Mais non. »

À vrai dire, je me demande parfois si Bryn ne porte pas ces tuniques exprès, comme une façon de défier le sort en continuant à susciter le doute dans les magazines people. Car elle a très envie d'un enfant. Même si, publiquement, elle avoue vingt-quatre ans, elle en a en réalité vingt-huit, et elle me parle de son horloge biologique qui tourne et tout et tout. Mais j'ai vingt et un ans, et nous sommes ensemble depuis un an seulement. Et elle a beau me raconter que je suis beaucoup plus âgé, psychiquement, que c'est comme si j'avais déjà vécu une vie entière, cela ne change rien. Même si j'en avais quarante et un et que nous venions de célébrer nos vingt ans de mariage, je ne voudrais pas d'enfant avec elle.

« Elle va te rejoindre pendant la tournée, Adam ? »

À la seule pensée de la tournée, ma gorge se serre. *Soixante-sept* soirées. Mentalement, je tends la main vers mon flacon de comprimés, mais je me garde bien d'en avaler un sous le nez de Vanessa.

« Pardon ? dis-je.

— Est-ce que Bryn va te rejoindre à un moment ou à un autre ? »

J'imagine Bryn pendant la tournée, avec ses stylistes, ses profs de Pilates, son dernier régime crudivore.

« Peut-être.

— La vie à Los Angeles te plaît ? demande Vanessa. Tu n'as pas trop le profil sud-californien.

— C'est une chaleur sèche.

— Quoi ?

— Rien, je plaisantais.

— Ah ! »

Elle me regarde d'un air sceptique. Il y a longtemps que je ne lis plus les articles me concernant mais, à l'époque, les journalistes utilisaient souvent à mon propos des mots comme *impénétrable. Arrogant*, aussi. C'est vraiment ainsi que les gens me voient ?

Heureusement, nous sommes à la fin de l'heure accordée pour l'interview. Vanessa referme son carnet et demande l'addition, tandis que je cherche le regard d'Aldous pour lui indiquer que nous levons le camp.

« J'ai été très heureuse de te rencontrer, Adam, dit-elle.

— Moi aussi. »

Mensonge.

« Je dois dire que tu restes une énigme. »

Elle me décoche un nouveau sourire plus blanc que blanc.

« Mais j'adore les énigmes. Comme tes textes, toutes les images en demi-teinte de *Dommage collatéral*. Les paroles du nouveau disque sont aussi très difficiles à interpréter. Tu sais que certains critiques se demandent si *Soleil vampire* réussit à atteindre l'intensité de *Dommage collatéral*… »

Je sais surtout ce qui va venir. J'ai déjà entendu ça. Ce truc de journalistes pour qui se référer à l'opinion d'autres critiques est une façon détournée de soutenir la leur. Et je sais aussi la question qu'il y a derrière ses propos : *Ça fait quoi, quand la seule chose valable que tu as créée est issue de la plus terrible des pertes ?*

Soudain, c'en est trop. Bryn et la rubrique « rumeurs de grossesse ». Vanessa qui a l'album de fin d'année du lycée. L'idée que rien n'est sacré. Que tout est de la bouillie pour les chats. Que ma vie appartient à tous sauf à moi. Les soixante-sept soirées. *Soixante-sept.* Je repousse la table si brutalement que les verres dégringolent sur les genoux de Vanessa.

« Qu'est-ce qui… ?

— L'interview est terminée, dis-je d'un ton rogue.

— Je sais, mais pourquoi passes-tu ta mauvaise humeur sur moi ?

— Parce que tu n'es qu'une espèce de vautour. Toutes ces choses n'ont aucun rapport avec la musique. Tu viens nourrir ta curiosité malsaine. »

Le regard de Vanessa vacille tandis qu'elle cherche fébrilement son enregistreur. Avant qu'elle puisse le remettre en marche, je le fracasse contre la table. Puis, pour faire bonne mesure, je le jette dans un verre d'eau. J'ai la main qui tremble, le cœur qui bat à tout rompre et j'ai peur d'être au bord d'une crise d'angoisse, le genre qui me rend certain que je vais mourir.

« Mais qu'est-ce que tu as fait ? hurle-t-elle. Je n'ai pas de sauvegarde !

— Tant mieux.

— Et comment est-ce que je vais rédiger mon article, maintenant ?

— Tu appelles *ça* un article ?

— Ouais. Il y a des gens qui doivent travailler pour gagner leur vie, espèce de caractériel bégueule !

— Adam ! »

Aldous est soudain à mon côté et pose trois billets de cent dollars sur la table.

« Pour que tu en achètes un neuf », lance-t-il à Vanessa avant de m'entraîner à l'extérieur du restaurant.

Une fois que nous sommes dans un taxi, il donne un autre billet de cent dollars au chauffeur qui proteste parce que j'allume une cigarette, fourre sa main dans ma poche, en extrait le flacon de médicaments et laisse tomber un comprimé dans sa main.

« Ouvre ! » m'ordonne-t-il comme une brave maman.

Il attend que nous approchions de mon hôtel et que j'aie avalé un autre comprimé et fumé deux cigarettes à la chaîne pour demander :

« Qu'est-ce qui s'est passé, nom d'un chien ? »

Je lui rapporte les questions de la journaliste sur le trou noir. Sur Bryn. Et Mia.

« T'inquiète, Adam. On peut appeler *Shuffle*. Menacer de faire sauter leur exclusivité s'ils ne mettent pas une autre journaliste sur le coup. Et si ça sort dans les tabloïds ou sur les blogs, on s'en fiche. Le soufflé retombera au bout de quelques jours. »

Aldous parle sur un ton calme, comme pour dire : *Hé ! ce n'est que du rock'n'roll*, mais je lis l'inquiétude dans ses yeux.

« Je ne peux pas, Aldous.

— Pas de souci. Tu n'es pas obligé. Ce n'est qu'un article. On gérera.

— Je ne parle pas que de ça, mais de tout le reste. Je ne peux pas. Je ne peux plus. »

Aldous, qui à mon avis n'a pas fait une seule nuit complète depuis ses tournées avec Aerosmith, s'autorise à avoir brièvement l'air épuisé. Puis il repasse en mode manager.

« C'est juste le burn-out d'avant tournée, m'assure-t-il. Ça arrive aux meilleurs d'entre vous. Une fois que tu seras sur la route et face à ton public, que tu sentiras l'amour, l'adrénaline, la musique, tu seras rechargé en énergie. Calciné, bien sûr, mais heureux. Et en novembre, quand tout sera terminé, tu pourras aller buller sur une île paradisiaque où personne ne sait qui tu es et où tout le monde se fout de Shooting Star. Et du sauvage Adam Wilde. »

En novembre ? Mais on n'est qu'en août ! Ça veut dire dans trois mois. Et la tournée compte *soixante-sept* soirées. *Soixante-sept*. Je me le répète mentalement comme un mantra, à ceci près que cela a l'effet inverse. C'est l'inverse. J'ai envie de m'arracher les cheveux par poignées.

Et comment dire à Aldous et aux autres que la musique, l'adrénaline, *l'amour*, tout ce qui aide à tenir le coup, a désormais disparu ? qu'il ne reste que la spirale infernale ? et que je suis tout au bord ?

Je tremble comme une feuille. Je suis en train de perdre les pédales. Même si une journée n'a que vingt-quatre heures, il semble parfois plus difficile d'arriver au bout que d'escalader l'Everest.

Deux

Aiguille et fil, la chair et les os,
Salive et tendons, cœur en lambeaux
Tes cicatrices brillent comme des diamants
Des étoiles éclairant mon confinement
« Suture », *Dommage collatéral*, plage 7

Aldous me raccompagne à mon hôtel.

« Écoute, man, je crois que tu as simplement besoin de faire un break. Je vais changer le programme de la journée et annuler tes rendez-vous de demain. Ton avion pour Londres n'est qu'à dix-neuf heures ; tu n'as pas besoin d'être à l'aéroport avant dix-sept heures. Ça te laisse plus de vingt-quatre heures de liberté. Tu vas te sentir beaucoup mieux, promis, juré. »

Il me dévisage avec une certaine inquiétude, réfléchit quelques instants. C'est mon ami, mais il est aussi responsable de moi.

« Finalement, annonce-t-il, je vais prendre le même avion que toi demain. »

Je lui suis infiniment reconnaissant, même si j'ai un peu honte. Voyager en première classe avec le groupe n'a rien de fascinant, car nous avons tendance à rester chacun dans sa bulle luxueuse, mais au moins, avec eux, j'échappe à la solitude. Quand je voyage seul, je ne sais jamais à côté de qui je vais être assis. Une fois, j'ai eu comme voisin un homme d'affaires japonais qui n'a pas cessé de me parler pendant les dix heures qu'a duré le vol. J'étais tenté de demander à changer de place, mais j'aurais eu l'air de la rock star qui fait son caprice. Donc, je suis resté là, à hocher la tête de temps en temps, sans comprendre la moitié de ce qu'il me racontait. Mais quand je suis seul, vraiment seul, pendant un vol longue distance, c'est pire encore.

Je sais qu'Aldous a beaucoup à faire à Londres. Surtout, manquer le rendez-vous de demain avec le reste du groupe et le réalisateur de la vidéo va être un mini-tremblement de terre de plus. Mais qu'importe. Si je devais compter tous les faux pas, j'en aurais pour un moment. En plus, ce n'est pas Aldous qu'on blâme, mais moi.

J'accepte donc sa généreuse proposition, malgré ses conséquences, en me contentant d'un bref « OK » pour ne pas en faire trop.

« Bon, maintenant, tu te remets les idées en place, Adam, déclare Aldous. Je te laisse tranquille. Même pas un coup de fil. Je viens te chercher ici ou tu préfères qu'on se retrouve à l'aéroport ? »

Le reste du groupe est dans un autre hôtel en ville. Depuis la dernière tournée, nous avons pris l'habitude d'être dans des hôtels séparés et Aldous descend diplomatiquement une fois dans le leur, une fois dans le mien. Cette fois, il est avec eux.

« À l'aéroport, dis-je. Dans la salle d'attente.

— Très bien. Je t'enverrai une voiture à seize heures. D'ici là, relax. »

Il me tape sur l'épaule, remonte dans le taxi et file vers son prochain rendez-vous, en essayant sans doute déjà de réparer les dégâts que je viens de faire.

Je passe par l'entrée de service et gagne ma chambre. Là je prends une douche, puis j'hésite à me recoucher. Mais ces temps-ci, j'ai du mal à dormir, même avec l'aide de médicaments. Par les fenêtres du dix-huitième étage, je vois la ville baignée par le chaud soleil de l'après-midi, ce qui donne à New York un petit air douillet, mais ne fait qu'accentuer l'impression de chaleur et d'enfermement de ma suite. J'enfile un jean noir propre et mon T-shirt noir porte-bonheur. Je voulais le réserver pour demain, quand je prendrai l'avion, mais ce ne serait pas plus mal qu'il me porte chance aujourd'hui aussi. Donc le T-shirt fera double usage.

J'allume mon iPhone. J'ai cinquante-neuf nouveaux e-mails et dix-sept nouveaux messages vocaux, dont plusieurs de l'attaché de presse du label, certainement furieux, et je ne sais combien de Bryn, qui demande comment se sont passées l'interview et la séance au studio d'enregistrement. Je pourrais l'appeler, mais à quoi bon ? Si je lui parle de Vanessa LeGrande, elle va faire toute une histoire parce que j'ai perdu publiquement la face. Elle se bat contre cette fâcheuse habitude que j'ai. D'après elle, chaque fois que je me conduis ainsi devant les journalistes, cela ne sert qu'à aiguiser leur appétit. « Montre-leur un visage tristounet, Adam, me répète-t-elle, et ils cesseront d'en écrire des tonnes sur toi. » D'accord, mais mon petit doigt me dit que si je révélais à Bryn quelle question m'a mis en colère, cela lui ferait perdre publiquement la face, à elle aussi.

Je me souviens qu'Aldous m'a conseillé de prendre de la distance avec tout ça et j'éteins mon téléphone, que je balance sur la table de nuit. Puis j'attrape ma casquette, mes lunettes noires, mes médicaments et mon portefeuille, et je sors. Je remonte Colombus Avenue et gagne Central Park. Un camion de pompiers passe, toutes sirènes hurlantes. *Gratte-toi la tête ou tu es mort.* Je ne me souviens même plus où j'ai appris cette comptine ou ce dicton selon lequel, chaque fois qu'on entend une sirène, il faut se gratter la tête, sinon, la prochaine sirène est pour soi. Mais je n'ai pas oublié quand j'ai commencé à le faire et c'est devenu une seconde nature. Évidemment, dans un endroit comme Manhattan, où les sirènes hurlent tout le temps, on a du mal à suivre le rythme.

C'est le début de la soirée et la chaleur commence à retomber. Les gens l'ont compris et ils se préparent à pique-niquer sur le gazon, promènent les bébés, font du canoë sur le lac couvert de nénuphars.

J'aime bien les voir vaquer à leurs occupations, mais je me sens exposé. Je ne sais comment font les autres célébrités. Parfois, je vois des clichés de Brad Pitt accompagné de sa petite marmaille devant les balançoires de Central Park, l'air parfaitement naturel, alors que les paparazzi sont visiblement à ses trousses. Il ne semble pas s'en préoccuper. Peut-être que si, quand même. On ne sait jamais, avec les photos.

Plongé dans mes pensées, parmi ces gens heureux qui profitent d'une agréable soirée d'été, je me sens comme une cible mouvante, malgré mes lunettes noires et ma casquette sur les yeux, et même si Bryn n'est pas avec moi. Car lorsque nous sommes tous les deux, il est presque impossible de passer inaperçus. Pourtant, la même paranoïa me saisit, moins à l'idée d'être pris en photo ou pourchassé par une meute de chasseurs d'autographes, que d'être montré du doigt parce que je serais le seul à me balader non accompagné dans le parc, même si ce n'est bien sûr pas le cas.

Je me demande comment j'ai pu en arriver là. Est-ce cela que je suis devenu, une contradiction ambulante ? Je suis entouré de gens et pourtant je me sens seul. Je prétends avoir envie d'être comme tout le monde, mais maintenant que cela m'arrive, on dirait que je ne sais comment me comporter, que j'ai oublié à quoi cela ressemble d'être une personne normale.

Je me dirige vers le Ramble, un coin plus isolé du parc où les quelques personnes que je risque de rencontrer sont du genre à ne pas avoir envie d'être découvertes. J'achète un hot dog, que j'avale en quelques bouchées. Je me rends compte alors que je n'ai rien mangé de la journée, ce qui me rappelle le fâcheux déjeuner avec Vanessa LeGrande.

Qu'est-ce qui s'est passé à ce moment-là ? Tu as la réputation de mettre les journalistes à l'épreuve, mais là, c'était vraiment un truc d'amateur.

Je me cherche une excuse : *En fait, je suis fatigué. Lessivé.* Et puis je pense à la tournée à venir et j'ai l'impression que le sol recouvert de mousse sur lequel je suis assis va m'engloutir.

Soixante-sept soirées. J'essaie de rationaliser. *Ce n'est pas le bout du monde.*

Je cherche un moyen de réduire ce chiffre en le divisant, mais ça ne tombe pas juste. Alors je le décompose : quatorze pays, trente-neuf villes, quelques centaines d'heures en car. Mais cette arithmétique me tourne encore plus la tête. Je m'appuie contre un tronc d'arbre et caresse son écorce. Cela me rappelle l'Oregon et le vide qui s'ouvrait sous moi se referme pour le moment.

Je ne peux m'empêcher de songer qu'autrefois j'avais lu pas mal de trucs sur les innombrables artistes qui ont littéralement implosé : Jim Morrison, Janis Joplin, Kurt Cobain, Jimi Hendrix. Ils me dégoûtaient.

Ils ont eu ce qu'ils voulaient et qu'est-ce qu'ils ont fait ? Ils ont sombré dans la dope pour oublier. Ou ils se sont fait sauter la cervelle. Quelle bande de tarés !

OK, regarde-toi, maintenant. Tu n'es pas un drogué, mais tu ne vaux guère mieux.

J'aimerais pouvoir changer. Pourtant, j'ai beau essayer de me dire de profiter de la vie, le résultat n'est pas terrible. Si les gens qui m'entourent savaient ce que je ressens, ils riraient bien de moi. Non, pas Bryn. Bryn serait atterrée par mon incapacité à jouir de ce que j'ai gagné à la sueur de mon front.

Mais ai-je travaillé si dur que ça ?

Mon entourage pense – ou pensait, en ce qui concerne Shooting Star – que j'ai bien mérité le succès et l'argent, que c'est un juste retour des choses. Pas moi. Le karma n'a rien à voir avec une banque. On ne fait pas un dépôt, puis un retrait. Pourtant, je commence à croire qu'avec tout cela je suis effectivement payé de retour. Mais au sens où je reçois la monnaie de ma pièce.

Je tends la main vers mon paquet de cigarettes. Vide. Je me lève, époussette mon jean et gagne la sortie du parc. À l'ouest, le soleil commence à descendre vers l'Hudson, laissant des traînées roses et pourpres dans le ciel. C'est un beau spectacle et pour une fois je me force à l'admirer.

Dans la 7e Rue, j'achète des cigarettes et je me dis que je vais rentrer à l'hôtel, manger quelque chose dans ma chambre et essayer de me coucher tôt, pour une fois. Devant le Carnegie Hall, des taxis s'arrêtent pour laisser descendre des gens qui vont assister au concert de ce soir. Il y a notamment une vieille dame avec un collier de perles, juchée sur des talons hauts, son compagnon tout voûté, vêtu d'un smoking, accroché à son bras. En les voyant s'avancer d'un pas mal assuré vers la salle, j'ai un pincement au cœur.

Regarde ce coucher de soleil, me dis-je. *Tourne-toi vers un peu de beauté.*

Mais lorsque je lève les yeux vers le ciel, les traînées rougeoyantes ont pris la couleur violacée d'un hématome.

Caractériel bégueule.

C'est ainsi que m'a appelé la journaliste. C'était une chieuse mais, sur ce point précis, elle n'avait pas tort.

Quand je cesse de regarder le ciel, je les vois. Ses yeux à *elle*. Je les ai toujours vus partout – à chaque coin de rue, sous mes paupières closes tous les jours avant de me lever, dans le regard des filles à qui j'étais en train de faire l'amour. Mais cette fois, ce sont vraiment les siens. Elle est en photo sur une affiche, vêtue de noir, un violoncelle posé contre ses épaules comme un enfant fatigué. Ses cheveux sont relevés en l'un de ces chignons qui semblent de rigueur chez les interprètes de musique classique. Avant, elle les portait ainsi pour les récitals et les concerts de musique de chambre, mais l'austérité de cette coiffure était adoucie par de petites mèches folles. Ce qui n'est pas le cas sur cette photo. Je regarde l'affiche de plus près. « Les Young Concert Series présentent Mia Hall. »

Il y a quelques mois, Liz a rompu l'embargo concernant tout ce qui touche à Mia et m'a envoyé par e-mail une coupure de presse prise dans le magazine *All About Us*, accompagnée de cette phrase : « Tu devrais lire ça. » L'article, intitulé « Vingt moins de vingt ans », était consacré aux jeunes prodiges. Il y avait une page sur Mia, illustrée par une photo que je n'ai pas osé regarder. J'ai respiré un bon coup, et j'ai parcouru le texte. Mia y était désignée comme « la probable héritière de Yo-Yo Ma ». J'ai souri malgré moi. Elle disait toujours que les gens qui ne connaissent rien au violoncelle voient partout le futur Yo-Yo Ma, parce que cet artiste est leur unique point de référence. « Et Jacqueline du Pré, alors ? » demandait-elle, parlant de sa propre idole, une fougueuse et talentueuse violoncelliste touchée par la sclérose en plaques à l'âge de vingt-huit ans et disparue une quinzaine d'années plus tard.

L'article qualifiait le jeu de Mia de « surnaturel », puis décrivait l'accident de voiture dans lequel ses parents et son petit frère avaient été tués plus de trois ans auparavant. Cela m'avait étonné. Ce n'était pas le genre de Mia d'évoquer cet épisode et de chercher à susciter la compassion. J'avais alors lu la coupure dans le détail et je m'étais aperçu qu'il ne s'agissait pas de déclarations en direct de Mia, mais d'un montage à partir d'anciens articles de journaux.

J'avais gardé la coupure de presse pendant quelques jours. De temps à autre, je la sortais de mon portefeuille pour y jeter un coup d'œil. J'avais l'impression de promener un bloc de plutonium. Et il ne faisait aucun doute que si Bryn me surprenait en train de me balader avec un article sur Mia, il y aurait de l'explosion nucléaire dans l'air. Donc, au bout de quelques jours, je l'ai jeté, puis je me suis efforcé de ne plus y penser.

J'essaie maintenant de me souvenir si l'article mentionnait un départ de Mia de la Juilliard School, la prestigieuse institution artistique, ou des récitals au Carnegie Hall.

Je lève de nouveau les yeux. Les siens sont toujours là, fixés sur moi. Et je suis certain qu'elle joue ici ce soir. Je ne suis donc pas surpris en consultant la date marquée sur l'affiche : le 13 août.

Sans réfléchir, je me dirige vers la caisse. *Je ne veux pas la voir*, me dis-je. D'ailleurs, je ne vais pas la voir.

Je veux juste l'écouter. À la caisse, un panneau indique que ce soir, tout est complet. Je pourrais me faire connaître ou passer un coup de fil au concierge de l'hôtel ou encore à Aldous, qui se débrouilleraient pour me procurer un billet, mais je préfère m'en remettre au hasard. Je me présente au guichet comme un jeune homme anonyme et même plutôt mal habillé pour l'occasion, et je demande si par hasard il y aurait des places de dernière minute.

« J'ai une mezzanine au fond, sur le côté, m'annonce la jeune fille. On voit mal, mais c'est tout ce qu'il me reste.

— Ce n'est pas grave, je ne viens pas pour voir. »

Elle éclate de rire.

« Je suis comme vous, répond-elle, mais en général les gens tiennent à ce genre de détail. Ce sera vingt-cinq dollars. »

Je paie avec ma carte bancaire et pénètre dans la salle fraîche, plongée dans la pénombre. Je m'installe sur mon siège et ferme les yeux. La dernière fois que j'ai assisté à un récital de violoncelle dans un endroit de ce genre, c'était il y a cinq ans. Mon premier rendez-vous avec Mia. Et comme ce soir-là, j'éprouve une folle impatience, même si je sais qu'aujourd'hui ce sera différent. Je ne l'embrasserai pas. Je ne la toucherai pas. Je ne la verrai même pas de près.

Ce soir, je vais l'écouter. Et ce sera suffisant.

Trois

Mia s'est réveillée au bout de quatre jours, mais on ne lui a rien dit avant le sixième. Cela n'avait pas d'importance, parce qu'elle semblait déjà savoir. On était autour de son lit d'hôpital, dans l'unité de soins intensifs. Son taciturne grand-père avait la pénible tâche de lui annoncer que ses parents, Kat et Denny, avaient été tués sur le coup dans l'accident de voiture qui avait provoqué son hospitalisation. Et que son petit frère, Teddy, était mort aux urgences de l'hôpital local où on les avait transportés, lui et Mia, dans un premier temps, avant qu'elle soit évacuée vers Portland. Personne ne connaissait la cause de la collision. Mia s'en souvenait-elle ?

Elle gisait là, clignant des paupières et serrant ma main comme si elle voulait me retenir à jamais, les ongles enfoncés dans ma paume. Elle secouait la tête et répétait « non, non », sans pleurer pour autant, et je me demandais si elle répondait simplement à la question de son grand-père ou si elle refusait d'admettre la situation. *Non !*

Et puis l'assistante sociale est entrée et a pris les choses en main. Avec réalisme, elle a expliqué à Mia les interventions qu'elle avait subies :

« On a fait ce qu'on appelle du triage chirurgical, juste pour te stabiliser, et tu t'en sors remarquablement bien. »

Elle a ensuite évoqué les opérations qui l'attendaient au cours des prochains mois. D'abord une pose de broches métalliques dans sa jambe gauche, puis, quelques jours plus tard, un prélèvement de peau sur la cuisse droite, intacte. Une autre intervention serait nécessaire pour greffer ce lambeau de peau sur sa jambe abîmée, et, comme le prélèvement, elle laisserait malheureusement « quelques vilaines cicatrices ». En revanche, celles du visage pourraient complètement disparaître au bout d'un an grâce à la chirurgie esthétique.

« Une fois que tu en auras terminé avec les opérations d'urgence, a poursuivi l'assistante sociale, et s'il n'y a pas de complications, comme une infection consécutive à l'ablation de la rate ou des problèmes pulmonaires, tu pourras quitter l'hôpital et aller dans un centre de rééducation. Là, tu auras tous les soins nécessaires, ergothérapie, rééducation, orthophonie et autres. On fera un bilan médical d'ici à quelques jours. »

Sa litanie m'épuisait, mais Mia buvait apparemment chacune de ses paroles et semblait s'intéresser plus au détail de ses opérations qu'aux nouvelles de sa famille.

Un peu plus tard, dans l'après-midi, l'assistante sociale nous a pris à part. Nous, c'est-à-dire les grands-parents et moi. La réaction de Mia, ou plutôt son absence de réaction, nous préoccupait. Nous nous étions attendus à ce que, face à l'horreur de la nouvelle, elle crie, pleure, s'arrache les cheveux, bref que son chagrin égale le *nôtre*. Et devant son calme anormal, nous pensions tous la même chose : le cerveau était atteint.

L'assistante sociale nous a rassurés tout de suite.

« Non, ce n'est pas le cas. Le cerveau est un organe fragile et il faudra attendre quelques semaines pour savoir quelles régions ont pu être touchées, mais les jeunes sont incroyablement résistants et, pour Mia, les neurologues sont optimistes. Le contrôle moteur est bon dans l'ensemble. La faculté de langage ne devrait pas être affectée. La partie droite de son corps présente une faiblesse et elle n'a plus d'équilibre. Si c'est là toute l'étendue des dommages cérébraux, elle a de la chance. »

En entendant le mot *chance*, nous avons tous froncé les sourcils et l'assistante sociale l'a vu.

« Oui, beaucoup de *chance* parce que tout cela est réversible, a-t-elle déclaré. Quant à la réaction qu'elle a eue tout à l'heure, elle est caractéristique face à un traumatisme psychologique si lourd. Le cerveau ne peut absorber la totalité d'un tel choc, seulement une petite quantité à la fois, qu'il digère lentement. Elle l'assimilera, mais elle aura besoin d'aide. »

Elle nous a ensuite mis entre les mains des brochures sur les troubles post-traumatiques et parlé des étapes du deuil, en nous recommandant une psychologue de l'hôpital pour Mia.

« Et pour vous tous également, a-t-elle conclu. Ce ne serait pas une mauvaise idée. »

Nous n'avons pas écouté son conseil. Les grands-parents de Mia n'étaient pas du genre à suivre une psychothérapie. Quant à moi, c'est la convalescence de Mia qui me préoccupait, pas mon sort.

Elle était dans ce centre, dents serrées, depuis moins d'une semaine, une semaine terrifiante, quand l'enveloppe est arrivée.

La Juilliard School. La célèbre école de musique new-yorkaise représentait tant de choses pour moi auparavant. Un événement prévisible. Une source d'orgueil. Une rivale. Et puis, j'avais cessé d'y penser.

Comme nous tous, sans doute. Mais la vie continuait à l'extérieur et là, l'autre Mia existait toujours, celle qui avait un père, une mère, un frère et un corps en état de marche. Dans cet autre monde, quelques mois plus tôt, un jury de Juilliard avait fait passer une audition à Mia, dont la candidature avait ensuite franchi les différentes étapes. La notification de la décision finale, admission ou refus, était maintenant devant nous. La grand-mère de Mia, trop nerveuse pour en prendre seule connaissance, avait attendu que son mari et moi soyons présents pour ouvrir l'enveloppe avec un coupe-papier de nacre.

Mia était admise. En avait-on jamais douté ?

Nous étions tous certains que ce serait une bonne chose pour elle, une lumière sur un horizon bien sombre.

« J'ai parlé au doyen des admissions et je lui ai exposé ta situation, lui a expliqué sa grand-mère. Il m'a dit que tu pourrais repousser d'un an ou deux ton entrée à l'école. »

Elle venait de lui annoncer la nouvelle et le montant de la généreuse bourse qui l'accompagnait. En fait, c'est l'école qui avait proposé de reporter l'entrée de Mia, afin qu'elle puisse répondre sans difficulté aux critères exigeants de cette institution, si elle décidait de l'intégrer.

« Non », a répondu Mia dans la déprimante salle commune du centre.

Elle parlait sur le ton monocorde qui était le sien depuis l'accident. Personne ne savait si c'était dû au choc émotionnel ou à des séquelles. Même si l'assistante sociale nous rassurait en permanence et si les soignants affirmaient qu'elle faisait de grands progrès, nous étions inquiets.

« Prends le temps de réfléchir, a déclaré sa grand-mère. Peut-être que plus tard tu considéreras l'existence sous un autre angle et que tu auras envie d'entrer à Juilliard. »

La grand-mère s'imaginait que Mia refusait d'aller dans cette école. Mais je connaissais Mia. Ce qu'elle refusait, c'était l'ajournement.

Septembre, le mois de la rentrée, était dans cinq mois. Trop tôt aux yeux de la grand-mère, dont les arguments ne manquaient pas de pertinence. Mia avait encore la jambe dans une attelle et elle commençait tout juste à marcher de nouveau. Elle était incapable d'ouvrir un bocal parce que sa main droite était trop faible. Souvent, elle ne réussissait pas à trouver les mots pour désigner des objets simples, comme une paire de ciseaux. Rien d'anormal, disaient ses thérapeutes. Tout rentrerait dans l'ordre en son temps. Mais cinq mois, c'était bref.

Cet après-midi-là, Mia a réclamé son violoncelle. Sa grand-mère a froncé les sourcils, craignant que cette lubie ne compromette sa guérison, mais j'ai bondi de ma chaise et sauté dans ma voiture. Au coucher de soleil, j'étais de retour avec l'instrument.

Par la suite, le violoncelle est devenu pour Mia une thérapie sur le plan tant physique qu'émotionnel et mental. Les médecins étaient stupéfiés par la force du haut de son corps – ce que son ancien professeur de musique, Christie, avait appelé son « corps de violoncelle », épaules larges et bras musclés – et par la façon dont elle récupérait de la vigueur en jouant, ce qui faisait disparaître la faiblesse de son bras droit et renforçait sa jambe abîmée. L'impression de vertige s'atténuait. Comme dans ces moments-là, elle fermait les yeux et ancrait ses pieds dans le sol, elle prétendait que cette attitude l'aidait à trouver son équilibre. À travers le violoncelle, Mia révélait les failles qu'elle s'efforçait de dissimuler dans la conversation courante. Si elle désirait un Coca mais n'arrivait plus à retrouver le mot, elle demandait un jus d'orange à la place. En revanche, elle ne cachait pas qu'elle se souvenait d'une suite de Bach étudiée quelques mois auparavant, mais pas d'une simple étude apprise dans son enfance, qu'elle a jouée malgré tout parfaitement lorsque Christie, qui venait la faire travailler toutes les semaines, la lui a montrée. Tout cela renseignait les orthophonistes et les neurologues sur la façon dont son cerveau avait été touché et ils ajustaient leur traitement en fonction de ces éléments.

Mais surtout, le violoncelle améliorait son humeur. Grâce à lui, elle avait quelque chose à faire tous les jours. Peu à peu, elle a cessé de parler d'une voix monocorde et a recouvré ses intonations d'avant, du moins lorsqu'elle parlait de musique. Ses thérapeutes ont modifié son plan de rééducation pour lui permettre de passer plus de temps à jouer.

« À vrai dire, nous ne savons pas très bien comment la musique peut réparer le cerveau, m'a confié l'un des neurologues un après-midi en l'écoutant jouer devant un groupe de patients dans la salle commune. Mais nous savons qu'elle le fait. Il suffit de regarder Mia. »

Elle a quitté le centre au bout de quatre semaines, quinze jours plus tôt que prévu. Elle était capable de marcher avec une canne, d'ouvrir un bocal de pâte de noisettes et de jouer du Beethoven avec une pêche d'enfer.

Je me souviens d'un détail de l'article sur les vingt jeunes talents paru dans *All About Us* que m'avait montré Liz. Le lien qui était fait, avec une certaine insistance, entre la « tragédie » de Mia et son jeu « surnaturel ». Ce qui m'avait mis en rage. Parce qu'il y avait là quelque chose d'insultant. Comme si la seule façon d'expliquer son talent était de l'attribuer à un quelconque pouvoir surnaturel. Qu'est-ce qu'ils croyaient, que sa famille disparue habitait son corps et interprétait un chœur céleste par l'intermédiaire de ses doigts ?

Malgré tout, quelque chose de surnaturel est *vraiment* arrivé. Et je le sais parce que j'en ai été témoin. J'ai vu comment Mia est passée du statut de talentueuse interprète à un état complètement différent. En l'espace de cinq mois, quelque chose de magique et d'étrange l'a transformée. Alors, oui, c'était lié à sa « tragédie », mais Mia ne le devait qu'à elle-même. Comme toujours.

Elle est partie pour la Juilliard School au début septembre. Je l'ai accompagnée en voiture à l'aéroport. Elle m'a dit au revoir, m'a embrassé. Et elle a déclaré qu'elle m'aimait plus que la vie même. Puis elle s'est avancée vers le portique de sécurité.

Elle n'est jamais revenue.

Quatre

L'archet est bien vieux et le crin abîmé
Comme toi, comme moi parti à l'atelier,
Pourquoi ont-ils sursis à ton exécution ?
Le public rugit sa standing ovation.

« Poussière », *Dommage collatéral*, plage 9

Quand les lumières se rallument, le concert terminé, je me sens lugubre et vidé, comme si mon sang avait été remplacé par du goudron. Les applaudissements se sont tus et les gens autour de moi se lèvent. Ils parlent du concert, de la beauté du Bach et de la tristesse de l'Elgar, du risque que représentait la programmation de l'œuvre d'un contemporain, John Cage – pari gagné. Mais c'est le morceau de Dvořák qui fait l'essentiel des conversations, et je comprends pourquoi.

Lorsque Mia jouait du violoncelle, son corps exprimait toujours une intense concentration. Une ride creusait son front, ses lèvres blanchissaient, comme si son sang se concentrait dans ses mains.

Et il y a eu de ça ce soir, lors de son interprétation des premières œuvres. Mais quand elle a entamé celle de Dvořák, la dernière du récital, il s'est vraiment passé quelque chose. Je ne sais si elle a trouvé son groove ou si c'était son œuvre de prédilection, mais au lieu de se pencher sur le violoncelle, son corps a semblé littéralement s'épanouir et la musique s'est déployée tout autour, telle une plante grimpante en fleur. Ses coups d'archet étaient amples, pleins de joie et d'audace, et le son transmettait cette émotion pure à l'auditorium, comme si les intentions mêmes du compositeur formaient une spirale qui remplissait l'espace. Difficile de décrire l'expression de Mia, yeux au ciel, un léger sourire jouant sur ses lèvres, sans tomber dans les clichés des magazines, mais elle avait l'air de ne faire qu'une avec la musique. Ou d'être heureuse, tout simplement. J'ai toujours su, je crois, qu'elle était capable d'atteindre un tel niveau artistique, mais là, j'ai été littéralement soufflé. Et l'ensemble du public aussi, à en juger par le tonnerre d'applaudissements qu'elle a obtenu.

La salle, avec ses sièges en bois blond et ses panneaux muraux géométriques, est maintenant vivement éclairée et ça me fait tourner la tête. Je me rassois dans le siège le plus proche en essayant de ne plus penser à l'œuvre de Dvořák ni au reste – la façon qu'a Mia d'essuyer sa main sur sa jupe entre les morceaux, ou de hocher la tête en rythme, comme si elle jouait avec un orchestre invisible, autant de gestes qui me sont plus que familiers.

Je m'accroche au siège de devant et parviens à me relever. Je m'assure que mes jambes fonctionnent et que je ne suis pas pris de vertige, puis je m'oblige à mettre un pied devant l'autre et à me diriger vers la sortie. Je suis épuisé et complètement tourneboulé. Je n'ai qu'une envie, regagner mon hôtel et avaler un ou deux tranquillisants. Dormir, et me réveiller demain matin. Que tout cela soit terminé.

« Excusez-moi, monsieur Wilde. »

En temps normal, je me méfie des lieux clos, mais s'il y a un endroit à New York où je ne m'attends pas à être reconnu, c'est bien le Carnegie Hall lors d'un concert de musique classique. Pendant toute la durée du concert, entracte y compris, personne ne m'a remarqué, sauf une paire de douairières qui devaient être tout simplement choquées par mon jean. Mais celui qui m'adresse ainsi la parole a à peu près mon âge. C'est un placeur, la seule personne à cent mètres à la ronde à avoir moins de trente-cinq ans et à être susceptible de posséder un album de Shooting Star.

Je fouille dans ma poche, à la recherche d'un stylo absent, mais le placeur fait un geste de dénégation, l'air embarrassé.

« Non, non, monsieur Wilde, je ne vous demande pas un autographe. »

Il baisse la voix et poursuit :

« En fait, c'est interdit par le règlement. Cela pourrait me coûter ma place.

— Oh ! »

J'ai du mal à comprendre. Pendant un instant, je me demande même si je ne vais pas recevoir un sermon sur ma tenue peu conforme aux circonstances.

Mais le jeune homme poursuit :

« Mlle Hall aimerait que vous la retrouviez en coulisses. »

Comme il y a encore beaucoup de bruit dans la salle, je ne suis pas sûr d'avoir bien entendu. Je crois comprendre qu'elle veut me voir. Mais c'est impossible. Il doit parler du hall, pas de *Mia* Hall.

Avant que j'aie eu le temps de l'interroger, il me prend par le coude et me ramène vers l'escalier. Nous gagnons le hall principal et franchissons une petite porte près de la scène, puis nous empruntons un dédale de couloirs aux murs couverts de partitions encadrées. Je me laisse faire, comme lorsque j'avais dix ans et que, plein d'appréhension, j'étais conduit chez le principal pour avoir jeté un ballon dans une classe. J'ai la même impression qu'alors. L'impression que j'ai des problèmes, qu'Aldous ne m'a pas vraiment donné ma soirée et que je vais me faire passer un savon pour avoir manqué une séance photo ou envoyé balader une journaliste, bref pour être le loup solitaire dont la conduite antisociale menace l'unité du groupe.

Je préfère ne pas m'attarder là-dessus tandis que le placeur m'introduit dans une petite pièce et sort en refermant la porte. Et soudain, elle est là. Vraiment là. Un être de chair et de sang. Pas un spectre.

Mon premier mouvement n'est pas de me précipiter pour l'embrasser ou lui faire des reproches. J'ai simplement envie de toucher sa joue, encore rosie après sa performance. Envie de franchir la distance qui nous sépare, non pas des kilomètres, des continents ou des années, mais quelques mètres, et de caresser son visage avec mes doigts calleux. Je veux me rendre compte par moi-même que c'est bien elle et non pas l'un de ces innombrables rêves où elle me paraissait toute proche, jusqu'à ce que je me réveille et prenne conscience de la réalité.

Mais je ne peux pas la toucher. C'est un privilège qui m'a été retiré. Contre ma volonté. Parlant de volonté, je dois faire appel à toute la mienne pour empêcher mon bras de trembler comme un marteau piqueur.

La loge tourne, je suis au bord du maelström et je meurs d'envie d'avaler l'un de mes comprimés. Ce n'est pourtant pas le moment. J'inspire profondément pour éviter la crise d'angoisse. J'ouvre la bouche, mais aucun son n'en sort. C'est un peu comme si j'étais seul en scène, sans le groupe, sans équipement, en ayant oublié toutes nos chansons, sous les yeux d'un million de spectateurs. Il me semble que cela fait une heure que je suis devant Mia Hall, muet comme une carpe.

Lors de notre première rencontre, au lycée, c'est moi qui ai pris l'initiative de lui parler. Je lui ai demandé quel morceau elle venait de jouer au violoncelle. Une simple question, qui a tout déclenché.

Cette fois, c'est elle qui interroge.

« C'est vraiment toi ? »

Sa voix n'a pas changé. Je ne sais pas pourquoi je m'imaginais qu'elle serait différente. Pourtant, tout est différent, maintenant.

Ses paroles me ramènent à la réalité. Celle des trois dernières années. J'ai tant à dire.

Où es-tu allée ? Penses-tu à moi, quelquefois ? Tu m'as détruit. Tu vas bien ?

Mais je ne peux prononcer ces mots.

Mon cœur bat à tout rompre, mes oreilles sifflent. Je vais perdre pied. Curieusement, pourtant, au moment où ma panique est à son maximum, une sorte d'instinct de survie se déclenche, celui qui me permet d'entrer en scène devant des milliers d'étrangers. Un calme descend sur moi et cet autre aspect de moi-même prend le relais.

« En chair et en os », dis-je à Mia.

Comme si ma présence à son concert et son désir de me voir dans son sanctuaire étaient les choses les plus naturelles du monde. Et parce que cela me paraît aller de soi, j'ajoute :

« Beau concert. »

En plus, c'est vrai.

« Merci, répond-elle. Je… Je n'arrive pas à croire que tu sois *ici*. »

Je pense à cette interdiction de l'approcher qu'elle m'a imposée pendant trois ans et que j'ai transgressée ce soir.

Mais tu m'as convoqué, ai-je envie de dire. Au lieu de quoi, je lance sur un ton que je veux moqueur :

« Tu vois, on laisse entrer n'importe qui au Carnegie Hall ! »

Il y a malgré tout une certaine amertume dans ma voix.

Elle caresse le tissu de sa jupe. Elle s'est changée et a abandonné sa robe noire classique pour une longue jupe ample et un chemisier sans manches. Avec un air conspirateur, elle secoue la tête et approche son visage du mien.

« Pas vraiment. L'entrée est interdite aux punks. Tu n'as pas vu l'avertissement à l'extérieur ? Ça m'étonne que tu aies pu mettre le pied dans le hall sans être arrêté. »

Je sais qu'elle tente de répondre à ma pauvre plaisanterie sur le même ton, et une partie de moi-même lui en est reconnaissante. Mais l'autre partie, la partie hargneuse, a envie de lui remettre en mémoire tous les concerts de musique de chambre et autres récitals auxquels j'ai assisté. À cause d'elle. Avec elle.

« Comment as-tu su que j'étais ici, Mia ? dis-je.

— Tu me le demandes ? Adam Wilde dans un endroit comme la salle Zankel du Carnegie Hall ! À l'entracte, le personnel ne parlait que de ça. Visiblement, beaucoup de fans de Shooting Star sont employés ici.

— Et moi qui croyais être venu incognito ! » dis-je, les yeux baissés.

La seule façon de survivre à cette conversation est de m'adresser à ses pieds chaussés de sandales, qui laissent voir ses ongles recouverts d'un vernis rose pâle.

« Toi ? Impossible, réplique-t-elle. Alors, comment vas-tu ? »

Comment je vais ? Es-tu réelle ?

Je me force à lever les yeux et à regarder Mia pour la première fois. Elle est toujours belle. Pas à la façon spectaculaire de Vanessa LeGrande ou de Bryn Shraeder, mais d'une autre manière, discrète, qui m'a toujours bouleversé. Elle a lâché ses longs cheveux sombres sur ses épaules nues à la peau laiteuse et constellée de taches de rousseur, que j'aimais tant embrasser. La cicatrice sur son épaule gauche, autrefois d'un rouge agressif, est désormais d'un rose nacré. Pour un peu, on dirait l'un de ces tatouages à la mode. C'est presque joli.

Le regard de Mia est sur le point de croiser le mien et, pendant une fraction de seconde, je crains que ma façade ne s'effrite. Je détourne les yeux.

« Je vais bien, dis-je. Pas mal de travail.

— Je m'en doute. Tu es en tournée ?

— Oui. Je pars demain pour Londres.

— Oh ! Moi, je pars demain pour le Japon. »

Je pense : *Dans des directions opposées.* Et je suis surpris en entendant Mia le dire tout haut.

« Dans des directions opposées. »

Les mots restent suspendus en l'air, lourds de sens. Soudain, je sens le maelström se remettre en branle. Si je ne m'en vais pas, il va nous happer.

« Eh bien, il ne me reste plus qu'à te dire au revoir. »

La voix de l'Adam Wilde calme semble venir de très loin.

Je crois voir une ombre passer sur son visage, mais je n'en suis pas certain, car j'ai l'impression que chaque partie de mon corps se met à onduler et que je vais sortir de moi-même. Pourtant, l'autre Adam fonctionne toujours. Il tend la main à Mia, alors que rien ne m'attriste plus que l'idée de lui serrer la main.

Elle ouvre la bouche pour dire quelque chose, mais se contente de soupirer. Son expression se durcit, devient un masque et elle tend à son tour sa propre main.

J'ai tellement l'habitude que les miennes tremblent en permanence que je n'y prête plus attention. Mais dès que mes doigts enlacent ceux de Mia, je remarque que le tremblement s'apaise, comme cesse le larsen quand on coupe un ampli. Et je pourrais rester ainsi indéfiniment.

Sauf que je ne le fais pas. Je retire ma main. J'ai eu brièvement l'impression que la sienne tremblait aussi, comme par contagion. Mais je n'en suis pas sûr, parce qu'un courant violent est en train de m'entraîner.

Et puis j'entends la porte de sa loge se refermer derrière moi, me laissant à la dérive sur les rapides, tandis que Mia reste sur le rivage.

Cinq

Je sais que c'est nul, et même grossier, de comparer le fait d'avoir été plaqué à l'accident qui a coûté la vie à la famille de Mia, mais je ne peux m'en empêcher. Car pour moi, en tout cas, les suites ont été les mêmes. Au cours des premières semaines, je me suis réveillé dans le brouillard, incrédule. *Pas possible, ce n'est pas vraiment arrivé ? Putain, si.* Le choc de plein fouet. Comme un coup de poing dans le ventre. Il m'a fallu un certain temps pour admettre la vérité. Mais après l'accident, j'avais dû être présent, me rendre utile, être celui sur qui l'on peut compter, tandis qu'après le départ de Mia je me suis retrouvé seul. Sans personne à aider. Et tout s'est arrêté.

Je suis retourné chez mes parents. J'ai juste pris quelques affaires dans ma chambre à la Maison du rock et j'ai filé. J'ai tout quitté. L'école. Le groupe. La vie que j'avais. D'un seul coup, sans la moindre explication. Je me suis roulé en boule dans mon lit de petit garçon. J'avais peur que quelqu'un ne force ma porte et ne me pose des questions mais quand on est comme mort, la nouvelle se répand vite. Personne n'a pris la peine de venir voir mon cadavre. Si, l'infatigable Liz. Une fois par semaine, elle m'a rendu visite, avec sous le bras un CD contenant un mix de ses dernières découvertes musicales, qu'elle déposait allègrement sur celui de la semaine précédente auquel je n'avais pas touché.

Mon retour laissait visiblement mes parents perplexes. Mais, s'agissant de moi, la perplexité était chez eux une vieille habitude. Autrefois, mon père était bûcheron et lorsque l'industrie du bois avait commencé à péricliter, il avait trouvé un poste dans une usine de composants électroniques. Ma mère travaillait à l'économat de la fac. Pour tous les deux, il s'agissait d'un remariage après une première expérience conjugale désastreuse, dont ils ne parlaient jamais. J'avais appris l'existence de ces unions antérieures par une tante quand j'avais dix ans. Ils m'avaient eu tardivement et mon arrivée avait été une surprise, apparemment. En fait, ma mère répétait toujours qu'en ce qui me concernait tout était surprenant, de mon existence à ma carrière de musicien, en passant par mon amour pour une jeune fille telle que Mia, mon entrée à la fac, la popularité que j'avais apportée à Shooting Star, puis l'abandon de mes études et celui du groupe. Ils n'ont pas posé de questions en me voyant revenir. Maman m'apportait du café et de la nourriture sur un plateau, comme si j'étais un prisonnier.

Pendant trois mois, je suis resté dans ce petit lit, en souhaitant sombrer dans le coma, comme l'avait fait Mia. Ce serait sans doute moins dur que ce que je vivais. Et puis, finalement, j'ai eu honte de moi. J'avais dix-neuf ans, j'avais laissé tomber mes études, je vivais chez papa-maman et je ne travaillais pas. Bref, la caricature du genre. Mes parents s'étaient montrés compréhensifs, mais je commençais à ne plus me supporter. Finalement, juste après le nouvel an, j'ai demandé à mon père s'il y avait du travail à son usine.

« Tu es sûr que c'est ce que tu veux ? » a-t-il interrogé.

J'ai haussé les épaules. Non, évidemment. Mais ce que je voulais, je ne pouvais l'avoir. Ma mère souhaitait qu'il tente de me dissuader et je les ai entendus se disputer à ce sujet.

« Tu espères mieux que ça pour lui, non ? criait-elle. Tu n'aimerais pas au moins qu'il retourne à la fac ?

— Il ne s'agit pas de ce que j'aimerais, moi », a-t-il rétorqué.

Il s'est donc renseigné auprès des ressources humaines, m'a obtenu un entretien d'embauche, et, une semaine plus tard, je bossais dans le service de saisie de données. De six heures trente à quinze heures trente, j'étais enfermé dans une pièce sans fenêtres et j'alignais des chiffres qui n'avaient aucun sens pour moi.

Le premier jour, ma mère s'est levée de bonne heure pour me préparer un pot de café et un énorme petit déjeuner que j'ai été incapable d'avaler. Elle est restée là, près de moi, dans sa robe de chambre rose, l'air préoccupé, et au moment où je quittais la maison, elle a hoché la tête.

« Qu'y a-t-il, maman ?

— Toi, travailler à l'usine ! Ben voyons, ça ne m'étonne pas. C'est ce dont je rêvais pour mon fils. »

Elle me regardait d'un air solennel et je n'aurais pu dire si l'amertume que je percevais dans sa voix s'adressait à moi ou à elle-même.

C'était un boulot merdique, mais je m'en fichais. Je fonctionnais comme un automate. Je rentrais à la maison et je dormais tout l'après-midi. Puis je me réveillais, je lisais et je somnolais de vingt-deux heures à cinq heures du matin, l'heure de me lever. J'étais en décalage avec les gens normaux, mais ça me convenait.

Quelques semaines plus tôt, à l'approche de Noël, j'avais eu une lueur d'espoir. Noël était la période à laquelle Mia avait prévu de revenir ici. Son billet pour

New York était un aller-retour et la date de retour était le 19 décembre. Envers et contre tout, j'espérais qu'elle viendrait me voir et qu'elle m'offrirait une explication, ou mieux, des excuses. Ou alors, on s'apercevrait qu'il y avait eu un horrible malentendu. Elle m'aurait envoyé des e-mails tous les jours, mais je ne les aurais pas reçus, et elle venait sonner à ma porte, furieuse de mon silence, comme elle l'était d'habitude pour des broutilles, par exemple quand elle me reprochait de ne pas être assez gentil avec ses amies.

Mais décembre s'est écoulé dans la grisaille. Les chants de Noël sont montés assourdis jusqu'à ma chambre. Je suis resté au lit.

C'est seulement en février que quelqu'un qui arrivait de son université de la côte Est a pointé le bout de son nez.

« Adam, Adam, tu as de la visite ! » a lancé maman en grattant à ma porte. C'était l'heure du dîner, le milieu de la nuit pour moi. J'étais dans les vapes. Dans ma confusion, j'ai cru que c'était Mia. Je me suis redressé brusquement, mais j'ai vu à l'expression de ma mère qu'elle savait que je serais déçu.

« C'est Kim ! » a-t-elle annoncé avec une jovialité forcée.

Kim ? J'étais sans nouvelles de la meilleure amie de Mia depuis le mois d'août et son départ pour une université de Boston. Et soudain, j'ai pris conscience que son silence était tout autant une trahison que celui de Mia. À l'époque où je sortais avec Mia, Kim et moi n'étions pas très copains. Du moins avant l'accident. Après, en revanche, on avait été soudés, d'une certaine manière. Je n'avais pas pris conscience qu'elle et Mia étaient à prendre comme un tout, si je puis dire. Perdre l'une, c'était perdre l'autre. Mais comment en aurait-il été autrement ?

Et maintenant, Kim était là. Était-elle envoyée par Mia ? Les bras serrés contre elle pour se protéger de l'humidité nocturne, elle me souriait maladroitement.

« Eh bien, tu n'es pas facile à trouver, a-t-elle dit.

— Je suis là où j'ai toujours été. »

J'ai repoussé les couvertures. Voyant que j'étais en caleçon, Kim s'est détournée, le temps que j'enfile mon jean. J'ai tendu la main vers un paquet de cigarettes. Je m'étais mis à fumer quelques semaines plus tôt. À l'usine, tout le monde fumait, apparemment. C'était le seul motif pour faire une pause. Kim a écarquillé les yeux, comme si j'avais sorti un revolver. J'ai reposé le paquet sans y toucher.

« Je pensais te trouver à la Maison du rock, alors j'y suis allée, a-t-elle déclaré. J'ai vu Liz et Sarah. Elles m'ont invitée à dîner. C'était chouette de les retrouver. »

Elle s'est interrompue pour observer ma chambre. Les couvertures froissées, les volets clos. Puis elle a repris :

« Je t'ai réveillé ?

— J'ai des horaires bizarres.

— Ta mère me l'a dit. *De la saisie de données ?* »

Elle ne prenait pas la peine de dissimuler sa surprise.

Je n'étais pas d'humeur à bavarder, ni à supporter la moindre marque de condescendance.

« Alors, qu'est-ce qui se passe, Kim ? »

Elle a haussé les épaules.

« Rien. Je suis en vacances. C'est la première fois que je reviens ici, parce que pour Hanoukka, toute la famille est allée voir mon grand-père dans le New Jersey. Je voulais simplement te dire bonjour. »

Elle semblait nerveuse. Inquiète, aussi. Je reconnaissais cette expression, qui signifiait que c'était *moi* le patient, maintenant. Au loin, une sirène a résonné dans la nuit. Instinctivement, je me suis gratté la tête.

« Tu la vois toujours ? ai-je demandé.

— Comment ? »

Visiblement, elle était stupéfaite.

J'ai répété la question. Lentement.

« Tu vois toujours Mia ?

— Euh… oui. Enfin, pas beaucoup. On est l'une et l'autre très prises par nos études et Boston est à quatre heures de New York. Mais bien sûr, on se voit. »

Bien sûr. C'est cette façon de dire que cela allait de soi qui a tout déclenché. Qui a réveillé chez moi un instinct meurtrier. Heureusement que je n'avais aucun objet lourd à portée de main.

« Elle sait que tu es ici ?

— Non. Je suis venue en amie.

— En amie ? *Mon* amie ? »

Mon ton sarcastique l'a fait pâlir, mais elle était plus dure qu'elle n'en avait l'air. Elle n'a pas battu en retraite.

« Oui, a-t-elle chuchoté.

— Alors dis-moi, mon amie, est-ce que Mia, ton amie, ta meilleure amie, t'a dit pourquoi elle m'a largué ? sans un mot ? Est-ce qu'elle t'en a parlé ? Ou bien elle n'a pas mentionné le sujet ?

— Adam, je t'en prie !

— S'il te plaît, Kim. Je n'ai aucune idée… »

Elle a pris une profonde inspiration. J'ai eu l'impression de voir sa colonne vertébrale se redresser, vertèbre après vertèbre, dans une attitude loyale et résolue.

« Je ne suis pas venue pour parler de Mia, mais pour te voir. D'ailleurs, je ne crois pas que ce serait bien de parler de Mia avec toi, et réciproquement. »

Elle avait adopté un ton d'assistante sociale, de tierce personne impartiale. J'ai explosé.

« Alors qu'est-ce que tu fous ici, dans ce cas ? À quoi tu sers, hein ? Tu es qui, pour moi ? Sans elle, tu es qui ? Tu n'es rien ! rien de rien. »

Kim a reculé, désorientée, puis elle a levé les yeux vers moi. Mais dans son regard, au lieu de lire de la colère, je n'ai vu que de la tendresse. Ce qui a encore augmenté mon envie de l'étrangler.

« Adam…, a-t-elle commencé.

— Fiche le camp ! Je ne veux plus te voir ! »

Avec Kim, on n'avait jamais besoin de répéter deux fois quelque chose.

Elle est partie sans rien ajouter.

Cette nuit-là, au lieu de lire ou de dormir, j'ai fait les cent pas dans ma chambre pendant quatre heures. Tout en arpentant la moquette bon marché de mes parents, je sentais grandir en moi une sorte de fébrilité. Quelque chose d'irrépressible, telle une nausée un jour de biture. Ça montait petit à petit, et soudain ça a jailli avec une telle force que j'ai donné un coup de poing dans le mur, puis, comme cela ne faisait pas assez mal, dans la fenêtre. Soulagé, j'ai senti la douleur des éclats de verre qui m'entaillaient les phalanges, avant que le froid glacial d'une nuit de février ne m'enveloppe. Le choc a paru réveiller quelque chose qui sommeillait, enfoui au plus profond de moi.

Car c'est cette nuit-là que j'ai repris ma guitare pour la première fois depuis un an.

Et c'est cette nuit-là que je me suis remis à écrire des chansons.

En l'espace de quinze jours, j'en avais écrit plus de dix. En l'espace d'un mois, le groupe Shooting Star s'était reformé et les interprétait. En l'espace de deux mois, nous signions avec un label majeur. En l'espace de quatre mois, nous enregistrions *Dommage collatéral*, qui comprenait quinze des titres que j'avais créés depuis l'abîme de ma chambre d'enfant. Et en l'espace d'un an, *Dommage collatéral* était dans les charts du Billboard et Shooting Star faisait la couverture des magazines nationaux.

Depuis, il m'est venu à l'idée que je devais soit des excuses, soit des remerciements à Kim. Ou les deux. Mais au moment où j'en ai pris conscience, c'était trop tard. Et pour être franc, je ne sais toujours pas ce que je lui dirais.

Six

Si nous devions faire des dégâts
Ce serait toi chez moi, moi chez toi
J'ai acheté une tenue étanche pour nettoyer
Masques à gaz et gants pour la sécurité
Et me voilà seul dans cette pièce nue
Devant le désastre nickel de ce qui fut

« Dégâts », *Dommage collatéral*, plage 2

Une fois dans la rue, je m'aperçois que je tremble toujours et j'ai l'impression que mes entrailles vont me lâcher. Je veux prendre mes comprimés, mais le flacon est vide. Et merde ! Aldous a dû me donner le dernier dans le taxi. Est-ce que j'en ai encore à l'hôtel ? Il faut absolument que j'en trouve avant de prendre l'avion demain. Je cherche mon portable, mais je me souviens de l'avoir laissé dans ma chambre pour mieux me déconnecter.

Il y a beaucoup de monde autour de moi et je trouve les regards un peu trop insistants. Je ne pourrais pas supporter qu'on me reconnaisse en ce moment. Je ne pourrais rien supporter du tout.

Je voudrais échapper à ma vie. J'y pense souvent, ces temps-ci. Ce n'est pas que je souhaite être mort ou me suicider, ou une autre connerie de ce genre. Non, c'est plutôt que je ne peux m'empêcher de penser que si je n'étais pas né, je n'aurais pas à affronter les soixante-sept soirées qui m'attendent. Je ne serais pas là, après avoir subi cette conversation avec elle.

C'est ta faute si tu y es allé ce soir, me dis-je. *Tu aurais mieux fait de rester seul.*

J'allume une cigarette, en espérant qu'elle va me calmer suffisamment pour que je retourne à l'hôtel, où j'appellerai Aldous. Je pourrai reprendre mes esprits et peut-être même dormir quelques heures. Bref, laisser derrière moi cette journée catastrophique.

« Tu devrais laisser tomber ! »

Sa voix me fait sursauter. En même temps, elle m'apaise. Je lève les yeux. Mia est devant moi, les joues rouges, mais, curieusement, elle sourit. Elle halète un peu, comme si elle avait couru. Peut-être qu'elle est poursuivie par les fans, elle aussi. J'imagine le couple âgé en smoking et perlouzes à ses trousses.

Je n'ai même pas le temps d'éprouver la moindre gêne. *Mia est de nouveau ici*, face à moi, comme lorsque nous partagions encore le même temps et le même espace, et que le fait de se rencontrer par hasard n'avait rien d'extraordinaire. Un instant, je songe à cette phrase d'Humphrey Bogart dans *Casablanca* : « Entre tous les bars de toutes les villes du monde, il a fallu qu'elle choisisse le mien. » Sauf que c'est moi qui suis entré dans son bar.

Lentement, Mia franchit la distance qui nous sépare encore. Elle a les yeux braqués sur la cigarette que je tiens.

« Depuis quand fumes-tu ? » interroge-t-elle.

Et c'est comme si le temps avait été aboli, comme si elle avait oublié que je n'avais plus de comptes à lui rendre.

Mais même dans ces circonstances, je mérite cette réflexion. À une époque, j'étais intraitable sur la question de la nicotine.

« Je sais, c'est un cliché, dis-je.

— Je peux en avoir une ? »

Je reste sans voix. Quand Mia avait six ou sept ans, elle avait lu l'histoire d'une petite fille qui réussissait à convaincre son père d'arrêter de fumer. Elle avait alors entrepris de faire abandonner définitivement la cigarette à sa mère, qui échouait toujours dans ses tentatives. Il lui avait fallu plusieurs mois, mais elle y était arrivée. Au moment où j'avais rencontré la famille, Kat ne fumait plus du tout. Le père de Mia, Denny, tirait de temps en temps sur une pipe, mais c'était plutôt pour se donner une contenance.

« *Toi*, tu fumes, maintenant ? dis-je enfin.

— Non, mais je viens d'avoir une expérience particulièrement intense et j'ai entendu dire que ça calmait les nerfs. »

L'intensité d'un concert. Je connais. Les miens me laissent parfois les nerfs à vif. J'approuve de la tête.

« Je sais ce que c'est, ça m'arrive aussi en sortant de scène. »

Je lui présente le paquet et elle prend une cigarette. Sa main tremble encore, ce qui me gêne pour l'allumer avec mon briquet. J'envisage un instant de lui saisir le poignet pour le stabiliser, mais j'y renonce. Je poursuis mes efforts jusqu'à ce que la flamme illumine ses yeux et enflamme le bout de la cigarette. Elle aspire une bouffée, souffle la fumée, toussote.

« Je ne parlais pas du concert, Adam, mais de *toi*. »

Un courant électrique me parcourt.

Calme-toi. C'est normal que tu l'aies rendue nerveuse en débarquant comme ça.

N'empêche que je suis flatté de lui avoir fait cet effet, même si je l'ai simplement un peu effrayée.

Nous fumons en silence pendant un moment. Et puis j'entends un gargouillis. Mia hoche la tête d'un air navré et contemple son estomac.

« Tu te souviens comment j'étais avant les concerts ? »

Par le passé, Mia était trop énervée pour avaler quoi que ce soit à ces moments-là. Du coup, après, elle mourait de faim. On allait généralement dans notre restaurant mexicain préféré ou bien manger des frites et une tarte dans un *diner* au bord de la route.

Je hoche affirmativement la tête.

« De quand date ton dernier repas ? »

Elle me dévisage, écrase sa cigarette à moitié intacte.

« Une éternité. Mon estomac a gargouillé tout le temps où j'ai joué. Je suis sûre qu'on l'a entendu jusqu'au balcon.

— Non. Seulement le violoncelle.

— Ouf, je suis soulagée. »

Nous nous taisons, puis son estomac se manifeste de nouveau.

« Des frites et une tarte sont toujours ton repas favori ? » dis-je.

Je la revois assise en face de moi dans l'Oregon, la fourchette brandie, en train de commenter sa propre performance.

« Pas la tarte. Ici, à New York, dans les *diners*, ils les font avec des fruits en boîte. Et ils ne connaissent pas les mûres. Comment est-il possible qu'un fruit cesse d'exister d'une côte à l'autre ? »

Et comment est-il possible qu'un amoureux cesse d'exister d'un jour à l'autre ?

« Je n'en sais rien.

— Mais les frites sont excellentes. »

Elle m'adresse un petit sourire encourageant.

« J'adore les frites. »

J'adore les frites ?

On dirait un môme dans un feuilleton télé.

Son regard vacille, se plante dans le mien.

« Tu as faim ? » demande-t-elle.

Je n'en sais rien.

Nous traversons la 57e Rue et descendons la 9e Avenue. Mia marche d'un pas décidé, à la new-yorkaise, sans la moindre trace de la claudication qu'elle avait au moment où elle est partie. Elle me montre ici et là des endroits intéressants, comme un guide professionnel. Je me rends compte que j'ignore si elle habite toujours ici ou si elle est juste de passage pour le concert de ce soir.

Tu pourrais le lui demander. C'est une question normale, après tout.

Oui, mais elle est tellement normale que je ne devrais pas avoir à la poser.

Quoi qu'il en soit, trouve quelque chose à lui dire.

Au moment où j'ouvre enfin la bouche pour parler, des notes de la *Neuvième Symphonie* de Beethoven s'élèvent du sac de Mia. Elle interrompt son monologue sur New York, saisit son téléphone portable, jette un coup d'œil à l'écran et fronce les sourcils.

« Mauvaise nouvelle ?

— Non, mais je dois prendre l'appel. »

Elle ouvre le clapet, l'air navré.

« Allô ? Oui, je sais. Calme-toi. Bien sûr. Un instant. »

Elle se tourne vers moi.

« C'est insupportablement grossier, je sais, mais est-ce que je peux te demander cinq minutes ? »

Elle a maintenant un ton calme et professionnel.

Bon, elle vient de donner un magnifique concert. Et des gens l'appellent. Malgré tout, et même si elle fait mine d'être désolée, je me sens comme un fan prié d'attendre au fond du bus que la rock star soit prête. Pourtant, j'acquiesce. Comment faire autrement ? La rock star, c'est Mia.

« Merci », me dit-elle.

Par discrétion, je la laisse marcher quelques pas devant moi, mais des bribes de conversation me parviennent quand même. *Je sais que c'était important. Je te promets d'arranger ça avec tout le monde.* À aucun moment, elle n'a parlé de *moi*. En fait, elle semble m'avoir complètement oublié.

Ce qui ne poserait pas de problème si elle n'était également inconsciente du ramdam causé par ma présence sur la 9e Avenue, où les clients des nombreux bars fument et bavardent sur le trottoir. Ils me regardent une fois, puis deux, et dès qu'ils sont certains qu'il s'agit bien de moi, ils sortent leur téléphone et leur appareil pour me prendre en photo.

Je me demande si les clichés vont atterrir sur *Gabber* ou dans les pages de l'un des tabloïds. Ce serait un rêve pour Vanessa LeGrande. Et un cauchemar pour Bryn. Bryn est déjà assez jalouse de Mia comme ça, même si elle ne l'a jamais rencontrée. Elle sait que je ne l'ai pas vue depuis des années, et pourtant elle se plaint.

« Adam ? Adam Wilde ? »

C'est un paparazzo, un vrai, qui s'adresse à moi de loin en brandissant un téléobjectif.

« Allez, Adam, une photo ? Rien qu'une ? »

Parfois, ça marche. On leur accorde un cliché et ils débarrassent le plancher. Mais la plupart du temps, c'est comme si l'on tuait une abeille en s'attirant la fureur de toute la ruche.

« Adam, où est Bryn ? »

Je mets mes lunettes noires et accélère, quoique ce soit un peu tard. Puis je m'arrête au bord du trottoir. De nombreux taxis passent sur l'avenue. Mia poursuit son chemin le long du pâté de maisons en jacassant dans son téléphone. L'ancienne Mia détestait les portables, les gens qui s'en servent en public et ceux qui prennent un appel alors qu'ils sont en compagnie de quelqu'un. L'ancienne Mia n'aurait jamais prononcé la formule « insupportablement grossier ».

Je me demande si je dois la laisser filer. L'idée de sauter dans un taxi et de retourner à l'hôtel tandis qu'elle se demanderait où je suis passé me tente. Pour une fois, ce serait bien que ce soit elle qui se pose des questions.

Malheureusement aucun taxi n'est libre et, comme si elle avait soudain perçu mon désarroi, Mia se retourne. Elle découvre le photographe qui s'approche de moi, ses objectifs brandis telles des machettes, puis son regard se tourne vers l'océan de voitures de la 9e Avenue. Je lui adresse une prière muette :

Continue, avance ! Si tu es prise en photo avec moi, tu vas être jetée en pâture à la presse. Ne t'arrête pas !

Mais elle me rejoint à grandes enjambées et me prend par le poignet. Bien qu'elle soit toute menue, je me sens d'un seul coup en sécurité, beaucoup plus qu'avec un garde du corps. Puis elle s'élance sur la chaussée en levant la main pour arrêter les voitures. On nous laisse passer, comme Moïse et son peuple franchissant la mer Rouge. Dès que nous avons atteint le trottoir opposé, la circulation reprend et mon paparazzo reste en rade de l'autre côté de l'avenue.

« C'est presque impossible d'avoir un taxi à cette heure, me dit Mia. C'est la sortie des spectacles de Broadway.

— J'ai à peu près deux minutes d'avance sur ce type. Même si j'attrape un taxi, il ira aussi vite que nous à pied, avec cette circulation.

— Ne t'inquiète pas. Là où nous allons, il ne pourra pas nous suivre. »

Elle me pousse dans la foule et nous avançons ainsi à toute allure sur l'avenue, puis elle tourne à l'angle d'une petite rue sombre bordée d'immeubles de location en brique. Au bout de quelques dizaines de mètres, les habitations laissent la place à une zone plantée d'arbres, entourée d'une haute clôture métallique que ferme une serrure impressionnante. Miracle, Mia sort une clé et l'ouvre.

« Vas-y, cache-toi là-dedans, me lance-t-elle en désignant une gloriette dissimulée derrière une haie. Je referme. »

J'obéis. Une minute plus tard, elle me rejoint. Il fait sombre à l'intérieur du petit édifice, à peine éclairé par la lueur d'un lampadaire distant. Mia pose son index sur ses lèvres et me fait signe de m'accroupir.

« Merde, où il est passé ? s'écrie une voix masculine dans la rue.

— Il est parti par là, ça c'est sûr, répond une femme.

— Ben alors, il est où ?

— Dans ce jardin, peut-être ? »

Le bruit de la clôture métallique violemment secouée nous parvient. « C'est fermé ! » s'exclame l'homme. Dans l'obscurité, je devine le sourire de Mia.

« Il a dû sauter par-dessus.

— Elle a bien trois mètres de haut. Personne ne peut faire un bond pareil, voyons.

— Faut que t'ailles voir, dit la femme.

— Pour que j'empale mon pantalon Armani tout neuf sur la grille ? Y a des limites à tout. Ça a l'air vide, là-dedans. Il a sans doute pris un taxi. Ce qu'on devrait faire, nous aussi. On m'a signalé la présence de Justin Timberlake à l'hôtel Breslin. »

Je les entends s'éloigner, mais je ne bouge pas, par sécurité. Mia rompt le silence.

« Faut que t'ailles voir », lance-t-elle en imitant à la perfection l'accent new-yorkais de la femme.

Puis elle se met à rire.

Je lui réponds sur le même ton.

« Pour que j'empale mon pantalon Armani tout neuf sur la grille ? Y a des limites à tout. »

Mia rit de plus belle. Je sens mon estomac se dénouer. Pour un peu, je sourirais.

Elle se lève, époussette sa robe et s'assied sur le banc de la gloriette. Je fais comme elle.

« Ce genre de choses doit t'arriver tout le temps ? » interroge-t-elle.

Je hausse les épaules.

« Surtout à New York et à Los Angeles. Et à Londres. Mais maintenant, en fait, c'est partout le même cirque. Même les fans vendent leurs clichés à la presse people.

— Tout le monde s'y met, hein ? »

Je retrouve un peu la Mia que j'ai connue, différente de la violoncelliste classique au langage affecté.

« Chacun veut sa part du gâteau, dis-je. On finit par s'y habituer.

— On s'habitue à tout », admet-elle.

Je devine que le jardin est assez vaste, avec une pelouse parcourue d'allées pavées et des plates-bandes fleuries. De temps à autre, une minuscule lumière vole dans l'obscurité.

« Ce sont des lucioles, Mia ?

— Oui.

— En plein centre-ville ?

— Exact. Au début, ça m'étonnait, moi aussi. Mais dès qu'il y a un carré de verdure, ces petites bestioles l'investissent et viennent l'éclairer. Elles ne sont là que pendant quelques semaines chaque année. Je me demande où elles vont le reste du temps. »

Je plisse le front.

« Peut-être qu'elles sont toujours là, mais qu'elles n'ont rien à illuminer.

— Possible. Ce serait en quelque sorte la dépression saisonnière, version insectes. Quoiqu'on ne sache pas vraiment ce qu'est un hiver déprimant si l'on n'a pas vécu dans l'Oregon.

— Comment obtient-on la clé de cet endroit ? dis-je. Il faut habiter par ici ? »

Mia hoche la tête.

« Oui, mais ce n'est pas mon cas. La clé appartient à Ernesto Castorel. Ou plutôt, elle lui appartenait. Quand il était chef d'orchestre invité du Philharmonic, il n'habitait pas loin. Il l'a eue avec l'appartement qu'il sous-louait. À l'époque, j'avais des problèmes de colocation, ce qui est une constante chez moi, et je débarquais souvent chez lui. Quand il est reparti, j'ai "accidentellement" emporté la clé. »

Pourquoi ai-je l'impression d'avoir reçu un coup à l'estomac ? Je tente de me raisonner.

Depuis Mia, tu es sorti avec un nombre incalculable de filles. Ce n'est pas comme si tu t'étais langui dans la solitude. Tu crois qu'elle l'a fait, elle ?

« Tu l'as vu diriger ? me demande-t-elle. Il m'a toujours fait penser à toi. »

Depuis ton départ, je n'ai pas écouté beaucoup de musique classique, c'est le moins qu'on puisse dire. Sauf ce soir.

« Qu'est-ce que tu veux dire ?

— Castorel, c'est quelqu'un d'incroyable. Il vient des bidonvilles vénézuéliens. Grâce à l'une de ces associations qui aident les gamins des rues en leur apprenant à jouer d'un instrument, il est devenu chef d'orchestre

74

à seize ans. À vingt-quatre ans, il dirigeait l'orchestre philharmonique de Prague. Il est aujourd'hui directeur artistique du Chicago Symphony Orchestra et il est à la tête du programme vénézuélien qui lui a permis de s'en sortir. Il fait de la musique comme il respire. Pareil que toi. »

Qui peut dire que je fais de la musique comme je respire ? Qui peut même dire que je respire tout court ?

Je me force à pousser une exclamation admirative et à repousser un sentiment de jalousie que je n'ai aucun droit d'éprouver.

Mia, soudain embarrassée, lève les yeux vers moi.

« Excuse-moi. J'oublie parfois que tout le monde ne connaît pas l'univers de la musique classique. Il est très célèbre dans notre milieu. »

Ouais, et ma copine est vraiment *très célèbre dans le reste du monde.*

Mais Mia est-elle même au courant pour Bryn et moi ? Pour ne pas avoir entendu parler de nous, pourtant, il faudrait avoir vécu sur une autre planète. Ou éviter intentionnellement ce qui me concerne. Ou encore être une violoncelliste classique qui ne lit pas la presse people.

« Génial », dis-je.

Elle a perçu la nuance de sarcasme dans ma voix et sa gêne est perceptible.

« Il n'est pas célèbre comme toi, bien sûr », corrige-t-elle.

Je ne réponds pas. Pendant quelques instants, on n'entend plus que le bruit de la circulation dans la rue. Puis l'estomac de Mia gargouille de nouveau, ce qui nous rappelle que nous avions une autre destination que ce jardin.

Sept

Bizarrement, c'est à cause de Mia que j'ai rencontré Bryn. Enfin, pas tout à fait. C'est en réalité à cause de Brooke Vega, la chanteuse et compositrice. Shooting Star devait faire la première partie de l'ex-groupe de Brooke, Bikini, le jour où Mia a eu son accident. Comme on ne m'a pas autorisé à lui rendre visite dans l'unité de soins intensifs, Brooke est venue à l'hôpital pour tenter de faire diversion. Sans succès. Et je ne l'ai pas revue avant la période dingue qui a suivi l'obtention du double disque de platine par *Dommage collatéral*.

Shooting Star était à Los Angeles pour les MTV Movie Awards. L'une des chansons que nous avions enregistrées, mais jamais diffusées, était sur la bande-son du film *Hello, Killer* et elle était nominée pour le prix de la meilleure chanson.

Que nous n'avons pas eu.

Aucune importance. Les MTV Awards venaient à la suite d'une ribambelle de cérémonies et nous avions déjà récolté une riche moisson de récompenses. À peine quelques mois plus tôt, nous étions allés chercher nos Grammys du Meilleur nouvel artiste et de la Chanson de l'année pour *Animé*.

C'était très étrange. On aurait pu penser qu'un disque de platine, deux Grammys et autant de Video Music Awards m'auraient comblé, mais plus les récompenses s'accumulaient et plus je flippais. Il y avait les filles, la drogue, les lèche-culs, et surtout le matraquage publicitaire. Des inconnus – et pas des groupies, mais des gens du métier – se précipitaient sur moi comme s'ils étaient de vieux amis, m'embrassaient, m'appelaient « Coco », me glissaient des cartes de visite dans la main et me proposaient à mi-voix un rôle dans un film ou de la pub pour des bières japonaises, un jour de tournage payé un million de dollars.

Je n'arrivais plus à gérer la situation. C'est pourquoi, aux Movie Awards, après notre prestation, je m'étais glissé hors du Gibson Amphitheatre et j'avais gagné le coin fumeurs. J'étais sur le point de filer lorsque j'ai vu Brooke Vega qui se dirigeait vers moi, suivie par une jolie fille dont les immenses yeux verts et les longs cheveux noirs m'étaient vaguement familiers.

« Mais c'est Adam Wilde ! », s'est-elle exclamée en se jetant dans mes bras.

Brooke s'était lancée depuis peu en solo et son premier album raflait pas mal de récompenses, ce qui fait qu'on tombait souvent l'un sur l'autre lors des différentes cérémonies.

« Adam, je ne te présente pas Bryn Shraeder, la bombe nominée pour le Best Kiss Award. Tu as vu le fabuleux patin qu'elle roulait dans le film *The Way Girls Fall* ? »

J'ai fait signe que non.

« Désolé.

— C'est un baiser vampire-loup-garou qui a raflé le prix, a déclaré Bryn, très pince-sans-rire. Un baiser entre filles, ça n'intéresse plus grand monde ».

Brooke a bondi.

« Mais on t'a volé ta récompense ! Et à toi aussi, Adam ! C'est un scandale ! Bon, faut que j'y retourne. Je vous laisse lécher vos blessures ensemble ou faire connaissance, au choix. Adam, à plus, j'espère. Tu devrais venir plus souvent à L.A. Un petit hâle ne te ferait pas de mal, beau mâle. »

Là-dessus, elle a fait un clin d'œil à Bryn et s'est éclipsée.

Bryn et moi sommes restés silencieux un instant. Je lui ai offert une cigarette. Elle a refusé d'un signe de tête, puis a levé les yeux vers moi, ces yeux d'un vert déconcertant.

« Oui, c'était un coup monté, au cas où tu te poserais la question.

— Effectivement, je me demandais… »

Elle a haussé les épaules, pas gênée le moins du monde.

« J'ai dit à Brooke que je te trouvais intéressant, alors elle a pris les choses en main. Elle et moi, on est pareilles sur ce plan. Ça t'ennuie ?

— Ça devrait ?

— Pas mal de mecs dans le coin flipperaient. Les acteurs ont tendance à être anxieux. Ou gay.

— Ce n'est pas ma tendance. »

Elle a souri. Puis elle a jeté un coup d'œil à ma veste.

« Tu t'apprêtais à déserter ?

— Tu crois qu'ils vont m'envoyer les chiens ?

— Qui sait, mais comme on est à L.A., ce sera des chihuahuas bien gentiment fourrés dans des sacs collectors. Tu ne risques pas grand-chose. Je peux t'accompagner, si tu veux.

— Tu parles sérieusement ? Tu n'es pas obligée de rester ici à te lamenter sur ce Meilleur Baiser manqué ? »

Elle m'a regardé droit dans les yeux, comme pour montrer qu'elle appréciait mon humour. Ce qui m'a plu.

« Lamentation ou célébration, c'est le genre de chose qui se fait dans l'intimité. »

Je n'avais rien de prévu, sauf de regagner l'hôtel dans la limousine qui nous attendait. Au lieu de quoi, je suis reparti avec Bryn. Elle a donné congé pour la nuit à son chauffeur, a récupéré les clés de son 4×4 et nous avons gagné la côte.

On a roulé le long du Pacific Coast Highway, jusqu'à Point Dune, une plage au nord de Los Angeles. En route, on s'est arrêtés pour acheter une bouteille de vin et des sushis. Quand on est arrivés, un brouillard était tombé sur l'océan couleur d'encre.

« C'est la brume de juin, a dit Bryn en frissonnant dans sa petite robe bustier noir et vert. Ça me fait toujours grelotter.

— Tu n'as pas un pull, quelque chose pour te couvrir ?

— Non, ça n'allait pas avec cette tenue.

— Tiens. »

Je lui ai tendu ma veste.

Elle l'a prise, l'air étonné.

« Tu es un gentleman ! » s'est-elle exclamée.

On s'est assis sur le sable et on a bu le vin à la bouteille. Elle m'a parlé du film qu'elle venait de terminer et de celui qu'elle devait tourner le mois prochain. Elle avait aussi deux scénarios sous le coude pour la boîte de production qu'elle lançait. Elle n'avait pas encore décidé lequel elle allait choisir.

« Si j'ai bien compris, tu es une grande paresseuse ? » ai-je demandé.

Elle a ri.

« J'ai grandi dans un bled de l'Arizona. Ma mère me répétait que j'étais ravissante, que je devais faire une carrière de mannequin ou d'actrice. Elle ne me laissait jamais jouer au soleil pour ne pas m'abîmer la peau. Non, mais tu te rends compte ? En Arizona ! Comme si tout ce que j'avais, c'était un joli visage… »

Bryn s'est tournée vers moi et j'ai pu voir son regard pétiller d'intelligence dans un visage effectivement ravissant. Puis elle a poursuivi :

« Mon physique m'a servi à m'échapper de là. Sauf que maintenant, j'ai le même problème avec Hollywood. On m'a collé une étiquette de jolie fille parmi d'autres. Mais je ne m'y laisserai pas enfermer. Si je veux prouver que j'ai aussi un cerveau et me faire une place au soleil, je dois trouver le projet qui va me sortir du lot. Alors, je me dis que j'y parviendrai plus facilement si je deviens aussi productrice. C'est une affaire de maîtrise. Je veux tout contrôler, en fait.

— Je comprends. Il y a quand même des choses qu'on ne peut contrôler, malgré tout. »

Le regard fixé sur la ligne sombre de l'horizon, elle a enfoui ses orteils nus dans le sable frais.

« Je sais, a-t-elle murmuré en se tournant vers moi. Je suis désolée pour ce qui est arrivé à ton amoureuse. Mia, c'est ça ? »

J'ai failli avaler de travers. C'était un prénom que je ne m'attendais pas à entendre prononcer dans ces circonstances.

« Excuse-moi, Adam, a-t-elle repris. C'est juste que lorsque j'ai posé des questions sur toi à Brooke, elle m'a expliqué dans quelles circonstances vous vous étiez connus, elle et toi. Elle n'a pas commis d'indiscrétion. Mais elle était au courant, puisqu'elle était présente à l'hôpital. »

Mon cœur battait à tout rompre.

Bryn a poursuivi :

« La pire chose qui me soit arrivée, c'est le départ de mon père quand j'avais sept ans. Alors je suis incapable d'imaginer ce que c'est que de perdre quelqu'un de cette manière. »

J'ai porté la bouteille de vin à mes lèvres.

« Je suis navré », ai-je réussi à articuler.

Elle a hoché la tête.

« Au moins, ils sont morts tous ensemble. En un sens, c'est peut-être mieux ainsi. Je n'aurais pas voulu me réveiller et apprendre que les autres membres de ma famille étaient morts. »

Cette fois, le vin m'est passé par le nez. Il m'a fallu un moment pour reprendre mon souffle. Quand j'ai pu parler de nouveau, j'ai expliqué à Bryn que Mia n'était pas morte, qu'elle avait survécu à l'accident et était complètement remise.

Bryn a eu l'air horrifiée.

« Seigneur, Adam, je suis terriblement confuse. C'est ce que j'ai cru comprendre quand Brooke m'a dit qu'elle n'avait plus jamais entendu parler de Mia. Je veux dire, Shooting Star disparaît, en quelque sorte, et puis *Dommage collatéral* sort, avec ces textes qui expriment la souffrance, la rage, le sentiment de trahison qu'on éprouve quand on est laissé derrière…

— Oui », ai-je acquiescé.

Bryn a levé vers moi ses yeux verts dans lesquels se reflétait la clarté lunaire et j'ai su qu'elle comprenait tout. C'était pour moi un soulagement intense de ne pas avoir à expliquer quoi que ce soit.

« Oh, Adam, en un certain sens c'est encore pire, n'est-ce pas ? »

Quand elle a prononcé ces mots, formulant ce que je ressentais parfois, à ma grande honte, je suis tombé un peu amoureux d'elle. Et j'ai cru que cela suffisait. Que cette compréhension implicite et ces premiers frémissements allaient peu à peu s'épanouir et atteindre la même intensité que l'amour que j'avais éprouvé pour Mia.

Ce soir-là, j'ai raccompagné Bryn chez elle. Et au cours du printemps, je lui ai rendu visite sur les tournages, à Vancouver, puis à Chicago et à Budapest. J'aurais fait n'importe quoi pour échapper à l'Oregon, au malaise qui s'était installé entre le reste du groupe et moi et nous séparait comme la vitre d'un aquarium. À l'été, quand elle a regagné Los Angeles, elle m'a proposé de vivre avec elle dans sa demeure d'Hollywood Hills.

« J'ai une maison d'amis dont je ne me sers jamais, m'a-t-elle dit. Tu pourrais en faire ton studio d'enregistrement. »

Et l'idée de quitter l'Oregon, de m'éloigner de Shooting Star et de toute cette histoire, de prendre un nouveau départ dans une maison ensoleillée, la perspective d'un avenir auprès de Bryn, tout cela m'avait séduit à l'époque.

C'est ainsi que j'étais devenu la moitié d'un couple de célébrités. Maintenant, on me prend en photo avec Bryn pendant que nous faisons des choses aussi ordinaires que de sortir du Starbucks avec des cafés ou de nous balader dans le Runyon Canyon.

Je devrais être heureux. Et reconnaissant. Malheureusement, je n'arrive pas à me défaire du sentiment que ma célébrité, c'est à elles, à Mia et à Bryn, que je la dois. J'ai écrit *Dommage collatéral* avec le sang de Mia sur mes doigts et c'est le disque qui m'a lancé. Et quand j'ai été vraiment connu, c'est moins pour ma musique que parce que j'étais le compagnon de Bryn.

Une fille super, Bryn. Tous les hommes se damneraient pour sortir avec elle.

Seulement voilà, même dans les premiers temps où le désir est insatiable, il y avait un mur invisible entre nous. Au début, j'ai essayé de l'abattre, mais c'était déjà un effort surhumain de le fissurer. Et puis je me suis lassé. Ensuite, je lui ai trouvé une justification. *C'est comme ça que ça se passe entre adultes, tout simplement. C'est comme ça qu'on aime quand on porte déjà quelques cicatrices de guerre.*

C'est peut-être pour cette raison que je suis incapable de profiter de ce que nous avons. De ces nuits d'insomnie où je vais écouter le clapotis du filtre de la piscine en pensant à ce qui m'énerve chez Bryn. Je sais très bien que ce sont des détails, sa façon de dormir avec son BlackBerry près de l'oreiller, de passer des heures chaque jour à faire de la gym, de trier tout ce qu'elle mange, de refuser de modifier d'un iota un plan ou un planning. Je sais très bien aussi qu'elle a des qualités formidables qui compensent largement ces défauts. Sa générosité et sa loyauté, par exemple.

Je n'ignore pas non plus que je ne suis pas facile à vivre. Bryn me trouve froid, renfermé, insaisissable. Selon son humeur, elle me reproche d'être jaloux de sa carrière, d'être avec elle par accident, de la tromper. Ce qui est faux. Je n'ai pas touché une groupie depuis que nous sommes ensemble. Je n'en ai même pas eu envie.

J'essaie de lui expliquer que c'est ainsi, entre autres, parce que nous passons notre temps à nous croiser. Quand je ne suis pas en tournée ou en train d'enregistrer, c'est elle qui est en tournage ou en promo. Je me garde bien de lui dire que je n'imagine pas ce que ce serait si nous étions plus souvent ensemble. Car lorsque nous sommes dans la même pièce, ce n'est pas vraiment la joie.

Parfois, quand elle a un peu bu, elle me lance que c'est Mia qui fait écran entre nous.

« Pourquoi tu ne retournes pas avec ton fantôme ? s'écrie-t-elle. J'en ai assez d'être en concurrence avec elle !

— Personne ne peut te faire concurrence », dis-je en l'embrassant sur le front.

C'est la pure vérité. Je lui explique alors que ce n'est pas Mia, ni aucune autre fille, qui est responsable. Simplement, elle et moi, nous vivons dans une bulle, sous les projecteurs et sous pression. Ce serait dur pour n'importe quel couple.

Mais nous savons sans doute tous les deux que je mens. Car on ne peut éviter le fantôme de Mia. Sans elle, Bryn et moi ne serions même pas ensemble. Par l'un de ces chemins détournés que prend parfois le destin, Mia fait partie de notre histoire et nous vivons parmi les fragments de son héritage.

Huit

Emmaüs est venu prendre les habits
J'ai dit adieu à tous mes amis
La maison est vide, les meubles vendus
Bientôt ton parfum aura disparu
Pourquoi je téléphone, personne ne répond
Personne ne m'écoute, pourquoi cette chanson

« Déconnexion », *Dommage collatéral*, plage 10

Vous connaissez l'histoire du chien qui passait sa vie à pourchasser les voitures et qui a fini par en attraper une ?

Je suis ce chien.

Parce que me voilà ici, seul avec Mia Hall, dans une situation dont je rêve depuis plus de trois ans et… Et quoi ?

Nous sommes dans le *diner* où elle souhaitait visiblement aller.

« Il y a un parking, me dit-elle à notre arrivée.

— Ah bon ! »

C'est tout ce que je trouve à répondre.

« Oui, avant, je n'avais jamais vu un restaurant de Manhattan avec un parking. C'est pour ça que je m'y suis arrêtée la première fois. Et puis je me suis aperçue que tous les chauffeurs de taxi le fréquentaient. Ils connaissent généralement les endroits où l'on mange bien et pour pas cher, mais d'un autre côté, je n'étais pas sûre que ce ne soit pas plutôt le parking gratuit qui les attirait. »

Elle continue à babiller et je me dis : *C'est incroyable, on parle de parking, alors qu'ici aucun de nous deux n'a de voiture, pour autant que je sache.* Je suis de nouveau frappé par le fait que maintenant, j'ignore tout d'elle, jusqu'au plus infime détail.

On nous conduit à une table et Mia fronce soudain les sourcils.

« Je n'aurais pas dû t'amener ici. Tu ne vas plus jamais dans ce genre de petit resto, je suppose. »

Elle a raison. Je n'ai aucune préférence pour les endroits chic et hors de prix, mais c'est là qu'on m'emmène et en général personne ne vient m'y importuner. Ici, toutefois, la clientèle est composée de personnes d'un certain âge et de chauffeurs de taxi, autrement dit des gens qui ne risquent pas de me reconnaître.

« Non, c'est très bien », dis-je.

On s'assoit près d'une fenêtre, avec vue sur le parking. Quelques secondes plus tard, un type trapu et velu déboule et se penche vers Mia.

« Maestro ! lance-t-il, ça fait un bail !

— Hello, Stavros. »

Stavros tourne vers moi sa tête grisonnante et hausse un sourcil broussailleux.

« Alors, tu nous a enfin amené ton petit copain pour qu'on fasse sa connaissance ! »

Mia rougit jusqu'aux oreilles et même si c'est un peu insultant pour moi de la voir piquer un fard parce qu'on me prend pour son copain, cela me réconforte en un sens. Cette fille mal à l'aise ressemble plus à la personne que j'ai connue, celle qui n'aurait jamais eu une conversation à mi-voix au téléphone portable.

« C'est un vieil ami », répond-elle.

Un vieil ami ? Je dois le prendre comme une rétrogradation ou une promotion ?

« Tiens donc ! réplique Stavros. Tu n'es jamais venue ici avec personne. Une jolie fille bourrée de talent comme toi, si c'est pas malheureux ! Euphemia ! hurle-t-il. Viens voir un peu ! Notre maestro a un jules ! »

Mia vire à l'écarlate. Elle me glisse : « Sa femme. »

L'équivalent féminin de Stavros, une petite bonne femme aussi large que haute, émerge de la cuisine. Elle est lourdement maquillée et une partie des fards semble avoir coulé sur son cou massif. Après avoir essuyé ses mains sur son tablier blanc graisseux, elle sourit à Mia, révélant une dent en or.

« Je le savais ! s'exclame-t-elle. Je savais que tu nous cachais un fiancé. Je comprends maintenant pourquoi tu refuses de sortir avec mon Georgie. »

Mia me fait une grimace complice, puis elle adresse un sourire faussement coupable à Euphemia.

Stavros intervient.

« Bon, ça va, laissons-les tranquilles », dit-il à sa femme en lui donnant une tape sur la hanche.

Puis il s'adresse à Mia :

« La même chose que d'habitude, Maestro ? »

Elle approuve d'un signe de tête.

« Et ton petit copain ? »

Mia a un mouvement de recul et un ange passe.

« Je vais prendre un burger frites et une bière, dis-je enfin.

— Parfait, lance Stavros en claquant des mains comme si je lui avais indiqué un remède miracle. Ce sera donc un cheeseburger DeLuxe avec oignons frits. Ton jeune ami est aussi maigre que toi.

— Vous n'aurez pas d'enfants en bonne santé si vous ne vous remplumez pas un peu », ajoute Euphemia.

Mia met sa tête dans ses mains. Lorsque le couple a disparu, elle risque un œil et soupire.

« Seigneur, c'était vraiment pénible. Visiblement, ils ne t'ont pas reconnu.

— Mais ils savent qui tu es, toi. Pourtant, ils n'ont pas l'air d'amateurs de musique classique. »

Je jette alors un regard sur mon jean, mon T-shirt noir, mes sneakers fatigués et je me dis que moi aussi, à une époque, j'ai été un fan de classique. Donc, l'apparence n'a pas grand-chose à voir.

Mia éclate de rire.

« Ce ne sont pas des gens qui fréquentent les salles de concert ! s'exclame-t-elle. Euphemia m'a connue à la période où je jouais dans le métro.

— Tu jouais dans le métro ? Les temps étaient si durs que ça ? »

À peine ai-je prononcé ces mots que je les regrette. On ne parle pas de temps difficiles à quelqu'un comme Mia, même si je sais parfaitement que financièrement, elle n'a pas eu de problème. Denny avait pris une assurance décès en plus de celle qu'il possédait déjà *via* le syndicat enseignant. Mia était donc à l'abri. Au début, toutefois, personne n'était au courant de cette seconde assurance. C'est pourquoi des musiciens locaux avaient donné des concerts à son profit et récolté près de cinq mille dollars pour financer ses études à la Juilliard School. Comme ses grands-parents, j'avais été ému par cette initiative, mais Mia était entrée dans une colère noire. Elle avait refusé le don, disant que c'était « le prix du sang », et quand son grand-père avait suggéré qu'accepter la générosité d'autrui était un geste généreux en soi, car cela pouvait aider les autres à se sentir mieux, elle avait rétorqué qu'elle n'était pas là pour ça.

Cette fois, elle se contente de sourire.

« C'était génial. Et ça rapportait pas mal, curieusement. Euphemia m'a vue à la station Colombus Circle et quand je suis venue manger ici, elle m'a reconnue. Elle a été fière de me dire qu'elle m'avait donné un dollar. »

Le portable de Mia se met à sonner. Nous nous taisons tandis que la petite mélodie de Beethoven s'égrène.

« Tu ne réponds pas ? » dis-je.

Elle secoue négativement la tête, l'air vaguement coupable.

La sonnerie s'est à peine interrompue que ça sonne de nouveau.

« Tu es particulièrement populaire ce soir.

— Embêtée serait plus juste. Après le concert, j'étais censée assister à un dîner avec des gens importants. Des agents, des donateurs. Je suis à peu près certaine que le coup de fil vient d'un prof de la Juilliard, ou de quelqu'un des Young Concert Artists, ou de mon manager qui doit être vert de rage.

— Ou d'Ernesto ? »

Je me suis forcé à prendre un ton léger. Stavros et Euphemia peuvent toujours penser que Mia sort avec quelqu'un qu'elle ne traîne pas dans les petits restaurants grecs, ce n'est pas de moi qu'il s'agit.

Elle a de nouveau l'air mal à l'aise.

« Peut-être.

— Je ne voudrais pas te détourner de tes obligations, Mia.

— Je vais plutôt lui couper le sifflet, à celui-là », répond-elle en éteignant son portable.

Stavros apporte un café glacé pour Mia et une Budweiser pour moi. Après son départ, un autre silence gêné s'installe entre nous.

« Donc, tu es une habituée de ce resto ? dis-je enfin.

— J'adore leurs samoussas aux épinards et comme c'est près du campus, je venais souvent ici. »

Je venais ? Pour la énième fois de la soirée, je me livre à un calcul. Il y a trois ans que Mia est partie pour étudier à la Juilliard School. Elle devrait donc entrer en dernière année cet automne. Et pourtant, elle se produit au Carnegie Hall et elle a un manager. Je me dis soudain que j'aurais dû lire plus sérieusement cet article.

« Tu parles au passé ? »

Malgré le bruit ambiant, la frustation est perceptible dans ma voix.

Mia se penche vers moi, le front plissé.

« Comment ? demande-t-elle sur un ton inquiet.

— Tu n'es plus à l'école ? »

Son visage s'éclaire.

« Oh ! J'aurais dû te l'expliquer plus tôt. J'ai eu mon diplôme au printemps. À Juilliard, on peut l'avoir en trois ans au lieu de quatre quand on est…

— Virtuose. »

Pour moi, c'est un compliment, mais là encore, mon manque d'informations sur Mia teinte ma voix d'amertume.

« Un élève doué, corrige Mia, presque en s'excusant. Du coup, j'ai entamé les tournées plus tôt. C'est-à-dire maintenant, en fait. »

Notre commande arrive. Je pensais ne pas avoir faim, mais dès que l'arôme de la nourriture me chatouille les narines, mon estomac se met à gargouiller. Mon hot dog est loin. Stavros pose le burger devant moi. Mia, elle, a droit à plusieurs plats : salade, samoussas aux épinards, frites, gâteau de riz.

« C'est ce que tu prends d'habitude ? dis-je. Tout ça ?

— Ça fait quarante-huit heures que je n'ai rien dans le ventre. Et tu sais que j'ai un solide appétit. Ou plutôt, tu savais… »

Lorsque Stavros s'éloigne, nous laissons tomber la conversation quelques minutes pour attaquer notre portion de frites, puis je romps le silence.

« Alors ? dis-je.

— Alors… Donne-moi des nouvelles des autres. Le reste du groupe. Comment vont-ils ?

— Bien.

— Ils sont où, ce soir ?

— À Londres. Ou dans l'avion. »

Elle penche la tête de côté.

« Tu n'as pas dit que tu partais demain ?

— Moi, je reste un jour de plus ici. J'ai des trucs à terminer. Des histoires de logistique.

— C'est une chance !

— *Pardon ?*

— Je veux dire… c'est le hasard, parce que, autrement, on ne se serait pas rencontrés. »

Je la dévisage. Parle-t-elle sérieusement ? Dix minutes plus tôt, elle semblait au bord de la crise cardiaque à l'idée qu'on me prenne pour son petit ami, et voilà qu'elle qualifie de « chance » ma présence à son concert. C'est peut-être par simple politesse.

« Liz est toujours avec Sarah ?

— Toujours. Entre elles, c'est du solide. Elles veulent même se marier. Elles débattent pour savoir si elles doivent aller dans un État où le mariage homosexuel est autorisé, comme l'Iowa, ou attendre qu'il soit légalisé en Oregon. »

Je hoche la tête.

« Tu parles d'une histoire juste pour se passer la bague au doigt !

— Tu ne veux pas te marier ? » interroge-t-elle avec un petit air de défi.

Ce n'est pas facile de la regarder en face, mais je m'oblige à le faire.

« Surtout pas, dis-je.

— Oh ! »

Elle semble presque soulagée.

Pas de panique, Mia. Je n'allais pas te demander en mariage.

« Et toi, toujours en Oregon ? reprend-elle.

— Non, je vis à L.A., maintenant.

— Tu as fui la pluie.

— Quelque chose comme ça. »

Il ne servirait à rien de lui expliquer que le plaisir de dîner dehors en février s'est bien vite émoussé et que maintenant, l'alternance des saisons me manque sous l'éternel soleil californien.

« J'ai aussi fait venir mes parents. Le climat du Sud est meilleur pour l'arthrite de mon père.

— Papy en a aussi, dans la hanche. »

On dirait les nouvelles qu'on se donne sur les cartes de Noël : *Billy a fini de prendre des leçons de natation, Todd a mis sa copine enceinte et tante Louise a été opérée de son hallux valgus.*

« C'est moche, dis-je.

— Tu sais comment il est, il ne se plaint jamais. En fait, les grands-parents envisagent de faire tout le trajet jusqu'ici pour me voir. Mamie a même déniché un étudiant en horticulture pour s'occuper de ses orchidées en son absence.

— Comment se portent-elles, ses orchidées ? »

Excellent. Nous voici au rayon fleurs, maintenant.

« Elles sont toujours primées, donc je suppose qu'elles sont en pleine forme, répond Mia, puis, baissant les yeux, elle ajoute : Ça fait longtemps que je n'ai pas vu sa serre. Je ne suis pas retournée là-bas depuis que je vis à New York. »

Cela me surprend. Et puis non, en fait. C'est comme si je le savais déjà, même si je me suis dit que Mia reviendrait peut-être après mon départ. Une fois de plus, j'ai surestimé mon importance.

« Tu devrais leur faire signe un jour, ajoute-t-elle. Ils seraient ravis d'avoir de tes nouvelles, d'entendre à quel point tout va bien pour toi.

— À quel point tout va *bien* pour moi ? »

Elle me lance un coup d'œil derrière sa mèche.

« Oui, Adam, à quel point tout va *merveilleusement bien* pour toi. Car enfin, tu y es arrivé ! Tu es une rock star ! »

Une *rock star*. La formule est un écran de fumée qui empêche de voir la véritable personnalité qu'elle cache. Pourtant, je suis une rock star. J'ai le compte en banque d'une rock star, les disques de platine d'une rock star, la compagne d'une rock star. Mais je hais cette expression, surtout quand c'est Mia qui me désigne ainsi.

Elle poursuit :

« Tu as des photos des autres membres du groupe ? Dans ton téléphone portable, par exemple ?

— Des photos, oui, j'en ai plein mon téléphone, mais je l'ai laissé à l'hôtel. »

Je raconte des craques, mais elle ne le saura jamais. Si elle veut des photos, je peux lui acheter *Spin* au kiosque à journaux du coin.

« Moi, j'en ai à te montrer. Des tirages papier, parce que mon téléphone est un modèle préhistorique. Des photos de mes grands-parents, et puis une vraiment top d'Henry et de Willow. Ils sont venus me voir lors du

Marlboro Festival, l'été dernier. Tu te souviens de leur petite fille, Beatrix, qu'ils appellent Trixie ? Elle a cinq ans, maintenant. Et ils ont eu un autre enfant, un garçon qu'ils ont baptisé Theo, en souvenir de Teddy. »

En entendant le prénom du petit frère de Mia, j'ai le cœur serré. Sur l'échelle du deuil, on ne sait jamais vraiment quelle disparition va nous affecter le plus. J'aimais beaucoup les parents de Mia, et pourtant j'ai plus ou moins réussi à accepter leur mort. Ils sont partis beaucoup trop tôt, mais c'était dans l'ordre naturel des choses – les parents avant les enfants –, sauf que leurs propres parents leur ont survécu. Mais je n'arrive pas à admettre que Teddy ait huit ans à jamais. Chaque année, à mon anniversaire, je pense à l'âge qu'il aurait, lui aussi. Il aurait presque douze ans aujourd'hui et je retrouve son visage dans celui de chacun des jeunes fans qui viennent à nos concerts ou demandent un autographe.

Quand Mia et moi étions ensemble, je ne lui ai jamais dit quel choc avait représenté pour moi la disparition de Teddy. Aucune raison de le faire maintenant. Je n'ai plus le droit d'aborder ce genre de sujet. J'ai quitté – ou perdu – mon siège à la table familiale des Hall.

« J'ai pris le cliché l'an dernier, alors il date un peu, explique Mia, mais ça te donnera une idée…

— Pas la peine. »

Elle est déjà en train de fouiller dans son sac.

« Tu verras, Henry n'a pas changé, il ressemble toujours à un gamin grandi trop vite. Bon sang ! où est-ce que j'ai fourré mon portefeuille ? »

Elle attrape le sac, le pose sur la table.

« Je ne veux pas voir tes photos ! »

J'ai lancé cette phrase d'un ton tranchant.

Saisie, Mia interrompt ses recherches et referme la fermeture Éclair.

« D'accord. »

Elle repose le sac à côté d'elle, mais heurte au passage ma bouteille de bière, qui se renverse. Elle entreprend alors d'éponger le liquide en arrachant des serviettes en papier au distributeur, aussi frénétiquement que si c'était de l'acide qui se répandait sur la table.

« Quelle catastrophe !

— Ce n'est pas grave, Mia.

— Mais si. J'ai fait beaucoup de dégâts, déclare-t-elle, le souffle court.

— Il ne reste presque plus rien. Appelons ton copain Stavros. Il arrangera ça. »

Elle continue pourtant à nettoyer avec une obstination maniaque jusqu'à ce que le distributeur de serviettes soit pratiquement vide. Perplexe, je me dis que si ça continue, elle va finir le travail à mains nues. Elle s'arrête enfin, tête basse, ayant épuisé toute son énergie. Puis elle me lance un de ces regards que je connais bien.

« Je suis désolée », dit-elle.

Je sais que je devrais répondre que ce n'est rien, que je n'ai même pas reçu une seule goutte de bière sur moi, mais brusquement j'ai un doute. Peut-être que ce n'est pas de la bière que nous parlons. Et si ce n'est pas de la bière, si Mia est en train de me faire des excuses…

De quoi es-tu désolée, Mia ?

Je n'ose poser la question.

Elle bondit de son siège et se précipite vers les toilettes pour nettoyer, telle Lady Macbeth, la bière qui l'a éclaboussée.

Pendant son absence, l'ambiguïté qu'elle a laissée derrière elle prend corps et vient se loger au plus profond de moi. Car depuis trois ans, j'ai échafaudé d'innombrables scénarios. La plupart tournant autour de la version « énorme erreur et gigantesque malentendu ». Dans mes fantasmes, elle implore mon pardon. Elle s'excuse d'avoir répondu à mon amour par un silence cruel et de s'être comportée comme si deux ans, deux ans de *notre* vie, étaient réduits à rien.

Mais je ne vais jamais jusqu'à imaginer qu'elle s'excuse d'être partie. Parce que même si elle l'ignore sans doute, elle n'a fait que ce que je lui ai dit qu'elle pouvait faire.

Neuf

Il y a eu des signaux d'alarme. Sans doute plus que je n'en ai repéré. Mais je n'en ai écouté aucun. Peut-être parce que je ne les cherchais pas. J'étais trop occupé à regarder derrière moi l'incendie que je venais de traverser pour me préoccuper du précipice qui allait s'ouvrir sous mes pas.

Lorsque Mia a décidé d'entrer à Juilliard à la rentrée et qu'il a été clair, à la fin du printemps, qu'elle en était capable, je lui ai annoncé que j'irais avec elle à New York. Elle m'a lancé un regard qui signifiait : *Certainement pas.*

« Il n'en a jamais été question avant et il n'y a aucune raison que ça change », a-t-elle dit.

Si, ai-je pensé. *Parce qu'avant tu étais en pleine forme, et que maintenant tu n'as plus de rate. Ni de parents. Et qu'à New York tu vas te faire manger toute crue.*

Mais je me suis tu.

« Il est temps pour toi et pour moi de reprendre le cours de notre vie », a-t-elle poursuivi.

Avant l'accident, je suivais les cours de la fac à mi-temps, puis j'avais arrêté et cela me posait des problèmes au niveau de mes notes. Mia, quant à elle, n'était pas non plus retournée à l'école. Elle avait manqué trop longtemps et on lui donnait des cours particuliers pour qu'elle puisse avoir son diplôme de fin d'études secondaires et entrer à temps à Juilliard.

« Et le groupe ? a-t-elle demandé. Je sais qu'ils t'attendent. »

Exact. C'est à cette époque, juste avant l'accident, que Shooting Star avait enregistré un album éponyme chez Smiling Simon, un label indépendant de Seattle. Sorti au début de l'été, sans être même soutenu par une tournée, le CD avait fait un carton, notamment auprès des radios universitaires. Résultat, des labels majeurs s'intéressaient à nous, prêts à signer avec un groupe qui n'existait qu'en théorie.

« Ta pauvre guitare doit se sentir bien abandonnée », a ajouté Mia avec un sourire triste.

Effectivement, l'instrument n'était pas sorti de son étui depuis que nous avions failli faire l'ouverture de Bikini.

J'ai donc accepté qu'on vive loin l'un de l'autre. D'abord parce qu'on ne discute pas avec Mia. Ensuite parce que je n'avais pas envie de quitter Shooting Star. Et enfin parce que quatre mille kilomètres de distance ne me faisaient pas peur. Ne me faisaient *plus* peur. Sans compter que Kim devait étudier à l'université de New York, à quelques kilomètres de Juilliard, et qu'elle pourrait garder un œil sur Mia.

Sauf qu'à la dernière minute Kim a préféré aller à l'université Brandeis, à Boston. Cela m'a mis en rage. Après l'accident, nous avions souvent parlé ensemble des progrès que faisait Mia et transmis des informations pertinentes à ses grands-parents. Nous gardions ces conversations secrètes, sachant que Mia nous aurait massacrés si elle avait pensé que nous conspirions. Mais Kim et moi étions comme les deux capitaines de l'équipe Mia. Si je ne pouvais accompagner Mia à New

York, je me disais que Kim devait vivre non loin d'elle, que c'était sa responsabilité.

J'ai ruminé ma rancœur pendant un moment, jusqu'à cette chaude soirée de juillet, un mois avant leur départ. Kim était venue chez les grands-parents de Mia voir des DVD avec nous. Mia s'était couchée de bonne heure, nous laissant tous les deux regarder la fin d'un film étranger prétentieux. Sans se préoccuper de ce qui se passait sur l'écran, Kim ne cessait de jacasser à propos de l'évolution positive de Mia et j'ai fini par lui dire de la fermer. Son visage s'est crispé et elle a commencé à ramasser ses affaires.

« Je sais ce qui te perturbe et ce n'est pas ce film sinistre, m'a-t-elle lancé. Alors crache ton venin une fois pour toutes et qu'on n'en parle plus. »

Puis elle a éclaté en sanglots. Je ne l'avais jamais vue pleurer ainsi, même pendant le service funèbre, et je me suis senti en dessous de tout. Je lui ai donc fait mes excuses en la serrant maladroitement dans mes bras.

Quand elle a cessé de renifler, elle m'a expliqué que Mia l'avait poussée à choisir Brandeis.

« C'est là que je voulais aller. L'Oregon, c'est très goy, et après y avoir passé tant de temps, j'avais envie de faire mes études dans une université juive. Mais l'université de New York, c'était très bien aussi, parce qu'il y a toute une population juive à New York. Pourtant, Mia n'en a pas démordu. Elle ne voulait plus de "baby-sitting". Ce sont ses mots. Elle a ajouté que si j'allais à New York, ce serait parce qu'on avait comploté de veiller sur elle et que dans ce cas-là elle couperait les ponts avec moi. Tu aurais vu son regard ! Elle ne plaisantait pas. Alors j'ai tout changé. Tu imagines le chantier que ça a été pour moi à ce stade des inscriptions ? Je te passe les détails. Mais qu'importe.

Mia était contente et elle n'a pas beaucoup de raisons d'être heureuse ces temps-ci. »

Avec un petit sourire, elle a conclu : « Je me demande pourquoi ça me perturbe, dans ce cas. Je dois me sentir coupable. »

Puis elle a de nouveau fondu en larmes.

C'est le genre de signal que j'aurais dû entendre. Il faut croire que j'avais les oreilles bouchées.

Mais la fin, quand elle est arrivée, s'est passée tranquillement.

Mia est partie pour New York. Je suis revenu à la Maison du rock. J'ai repris les cours. La planète ne s'est pas arrêtée de tourner. Pendant la première quinzaine de jours, Mia et moi avons échangé des e-mails détaillés. Les siens me parlaient de New York, de ses cours, de la musique, de l'école. Les miens tournaient autour des rencontres avec notre label. Liz avait prévu pour le groupe tout un tas de concerts à l'époque de Thanksgiving, en novembre. Nous devions donc répéter sérieusement, étant donné que je n'avais pas touché une guitare depuis des mois, mais, sur l'insistance de Mike, nous faisions passer le business d'abord. Nous avions des rendez-vous avec des directeurs de label à Seattle et à Los Angeles. Des directeurs artistiques de New York venaient nous rencontrer en Oregon. Je décrivais à Mia les promesses qu'ils nous faisaient, chacun jurant d'affiner notre son et de nous propulser vers la gloire. Le groupe essayait de tenir le cap, mais il était difficile de ne pas entendre le chant des sirènes.

Mia et moi nous téléphonions également chaque soir avant de nous coucher. Comme elle était généralement lessivée, la conversation était brève. C'était juste pour entendre la voix de l'autre et se dire « je t'aime » en temps réel.

Un soir, trois semaines après le début de ses cours, je l'ai appelée un peu plus tard que d'habitude à cause du dîner que nous avions eu avec des directeurs artistiques dans un restaurant de Portland. Quand j'ai eu son répondeur, j'ai pensé qu'elle dormait déjà.

Le lendemain, ne recevant pas d'e-mail, je lui ai envoyé un texto. « Désolé du retard. Tu m'en veux ? » « Non », a-t-elle répondu en retour. J'étais soulagé.

Mais le soir, quand j'ai téléphoné à l'heure dite, je suis tombé directement sur le répondeur. Et le lendemain, son e-mail se résumait à deux phrases laconiques à propos de son travail avec l'orchestre, de plus en plus prenant. Normal, me suis-je dit. Après tout, elle était à Juilliard, une école difficile. Et Mia était une fille qui répétait huit heures par jour.

Je me suis mis à appeler à différentes heures, tôt le matin avant le début de ses cours ou au moment du dîner. Toujours le répondeur. Et elle ne rappelait jamais. Elle ne répondait pas non plus à mes textos. Elle m'envoyait toujours des e-mails, mais pas tous les jours, et les miens avaient beau être bourrés de questions de plus en plus angoissées – « Pourquoi tu ne décroches pas ? » « Tu as perdu ton portable ? » « Tu vas bien ? » –, ses réponses restaient vagues. Elle disait simplement qu'elle était très occupée.

J'ai décidé d'aller voir ses grands-parents. Je les avais beaucoup fréquentés pendant cinq mois, le temps de la convalescence de Mia, et j'avais promis de leur rendre visite fréquemment. Mais je ne l'avais pas fait. Sans la présence de Mia, j'avais du mal à rester dans cette vieille maison pleine de courants d'air et de photos de défunts – celle du mariage de Kat et Denny, une autre de Mia à douze ans en train de lire un livre à

Teddy juché sur ses genoux, qui me fendait le cœur. Mais il me fallait des explications à la prise de distance de Mia.

La première fois que j'y suis retourné, à l'automne, sa grand-mère m'a parlé en long et en large de l'état de son jardin, puis elle s'est retirée dans la serre, me laissant dans la cuisine avec son mari. Devant un pot de café fort, lui et moi sommes restés silencieux, à écouter le bois craquer dans le poêle. De temps en temps, il me lançait un coup d'œil triste qui me donnait inexplicablement envie de m'agenouiller au pied de sa chaise et de poser ma tête sur ses genoux.

Je suis revenu chez eux deux ou trois fois encore, même quand Mia a eu rompu tout contact avec moi, et ça s'est passé de la même manière. J'avais un peu honte de prétendre faire une visite de politesse, alors qu'en réalité j'espérais avoir des nouvelles. Non. Ce qu'*en réalité* j'espérais, c'était de ne pas être le seul dans ma situation. J'avais envie que ses grands-parents me disent : « Mia ne nous appelle plus. Est-ce que toi, tu as de ses nouvelles ? » Absurde.

En fait, je n'avais pas besoin d'une confirmation de la part de ses grands-parents. Dès le deuxième soir, quand j'étais tombé sur le répondeur, j'avais compris que c'était fini.

Car ne le lui avais-je pas dit ? Ne lui avais-je pas promis à son chevet que je ferais n'importe quoi si elle restait parmi nous, que j'accepterais même de la laisser s'en aller ? Le fait qu'elle ait été à ce moment-là dans le coma, qu'elle ne se soit pas réveillée avant trois jours encore et que ni l'un ni l'autre nous n'ayons jamais évoqué ces paroles, avait rendu en quelque sorte cette promesse inconsistante. Je n'avais qu'à m'en prendre à moi-même.

Ce que j'ai du mal à accepter, c'est la *manière* dont elle l'a fait. Je n'ai jamais laissé tomber une fille avec une telle brutalité. Même à l'époque où je couchais avec des groupies, je raccompagnais toujours l'élue de la soirée hors de la chambre d'hôtel ou de la limousine et prenais congé avec un chaste baiser sur la joue et une phrase d'adieu du genre : « Merci, c'était très bien. » Et c'était une groupie. Mia et moi étions restés ensemble pendant plus de deux ans et même si nous vivions une romance de lycéens, je pensais que nous allions essayer d'en faire une histoire d'amour qui durerait toujours, ce qui aurait été le cas, j'en suis pratiquement certain, avec des « si ». Si nous nous étions rencontrés cinq ans plus tard, si elle n'avait pas été une violoncelliste prodige, si je n'avais pas fait partie d'un groupe en pleine ascension – ou si tout cela ne nous avait pas séparés.

Je me suis rendu compte qu'il y a un monde entre le fait de savoir que quelque chose est arrivé, et même de savoir pourquoi c'est arrivé, et le fait de le croire. Parce que lorsque Mia a cessé tout contact avec moi, je *savais* ce qui s'était passé, oui. Mais il m'a fallu beaucoup de temps pour le croire.

Et maintenant encore, il y a des jours où je ne parviens pas tout à fait à le croire.

Dix

Le barillet a tourné, un, deux, trois
Tu choisis, dit-elle, c'est toi ou c'est moi
Métal sur la tempe, fracas assourdissant
Et me voilà couvert de sang
Elle reste debout pas moi

« Roulette russe », *Dommage collatéral*, plage 11

Je commence à me sentir nerveux en quittant le restaurant de Stavros. Parce qu'on s'est retrouvés par
hasard. On a passé un peu de temps ensemble par politesse, et maintenant, qu'est-ce qu'il nous reste à faire,
à part nous dire au revoir ? Mais je ne suis pas prêt
pour cela. Je suis à peu près sûr qu'il n'y aura aucune
suite et que je vais devoir vivre désormais avec le souvenir frustrant de cette soirée. J'aimerais mieux avoir
autre chose à me mettre sous la dent que des histoires
de parking et d'arthrite, et des excuses avortées.

C'est pourquoi chaque centaine de mètres parcourue
sans que Mia hèle un taxi ou me dise au revoir me
paraît repousser l'exécution. Pour un peu, j'entendrais
chacun de mes pas sur le trottoir résonner comme le
mot « sursis ».

Nous marchons en silence dans une partie plus calme et aussi plus sinistre de la 9ᵉ Avenue. Sous un pont routier humide, des SDF ont établi leur campement. L'un d'eux nous demande l'aumône. Je lui donne une pièce. Un bus passe à grand bruit, en nous envoyant ses gaz d'échappement.

Mia tend l'index vers l'autre côté de la rue.

« C'est le terminus d'autobus de Port Authority », dit-elle.

J'approuve de la tête. Après les parkings, va-t-on se mettre à parler de stations d'autobus, ou bien envisage-t-elle de se débarrasser de moi ?

« Il y a un bowling à l'intérieur, poursuit-elle.

— Dans la station ?

— C'est dingue, non ? s'exclame-t-elle, soudain très animée. Moi non plus, je n'arrivais pas à le croire quand je l'ai découvert. Un soir, en revenant de Boston où j'avais rendu visite à Kim, je me suis perdue et je suis tombée dessus. Par hasard. Ça m'a fait penser à la chasse aux œufs de Pâques. Tu te rappelles quand on les cherchait avec Teddy ? »

Je me rappelle quand *Mia* les cherchait. Elle adorait toutes les fêtes associées à des gourmandises et elle s'efforçait de les rendre magiques pour Teddy. Une fois, à Pâques, elle s'était donné le mal de peindre une tonne d'œufs durs et de les dissimuler dans le jardin pour que son petit frère les y retrouve le lendemain matin. Malheureusement, il avait plu à verse toute la nuit et ses œufs colorés étaient devenus grisâtres. Mia était au bord des larmes, mais Teddy, excité comme une puce, avait cru mordicus que c'étaient des œufs de *dinosaure.*

« Oui, je m'en souviens, dis-je.

— Les gens adorent New York pour toutes sortes de raisons. La culture. Le mélange des gens. Le rythme.

La nourriture. Mais pour moi, c'est comme une gigan-tesque chasse aux œufs. On trouve une surprise à chaque coin de rue. Comme le jardin de tout à l'heure. Ou un bowling dans un immense dépôt d'autobus. Tu veux que… ?

— Oui ? »

Elle secoue la tête.

« Non, tu as certainement quelque chose de prévu ce soir. Une soirée dans un club. Retrouver ta bande.

— Je n'ai pas de bande. »

Malgré moi, j'ai parlé d'un ton sec.

« Oh ! ce n'était pas une insulte. Je me disais simple-ment que les rock stars, les célébrités, sont toujours très entourées.

— Arrête. Je n'ai pas changé. »

Enfin, presque pas.

Elle me dévisage, l'air étonné.

« Donc, personne ne t'attend quelque part ? »

Je fais signe que non.

« Il est tard. Tu ne veux pas aller te coucher ?

— Je ne dors pas beaucoup ces temps-ci, et je peux faire un somme dans l'avion. »

Mia repousse un détritus du bout du pied et je m'aperçois qu'elle est toujours nerveuse.

« Dans ce cas, je te propose d'aller à la chasse aux œufs, version citadine. »

Elle me scrute du regard, histoire de voir si je suis. Évidemment que je comprends de quoi elle parle.

« Je vais te montrer tous les endroits secrets de la ville que j'adore, reprend-elle.

— Pourquoi ? » dis-je.

Aussitôt, je me mords les lèvres.

Tu as eu ton sursis, alors, boucle-la !

Mais une partie de moi-même tient à savoir. Si j'ai du mal à comprendre pourquoi je suis allé assister à son concert hier soir, la raison pour laquelle elle m'a fait venir et reste avec moi est encore plus obscure.

« Parce que j'ai envie de te les faire connaître, répond-elle. Et puis… »

Elle plisse le front, cherche ses mots, et reprend :

« Je ne quitte pas vraiment New York, mais c'est un peu ça quand même. Je pars demain pour le Japon, où je vais donner deux concerts. Un autre est prévu en Corée. Ensuite, je reviens passer une semaine à New York et après ça, je commence les tournées pour de bon. Je serai sur les routes pendant une quarantaine de semaines par an, donc…

— Donc tu n'auras pas beaucoup de temps pour la chasse aux œufs.

— Voilà.

— Et ce serait en quelque sorte ta tournée d'adieu ? »

Adieu à New York ? À moi ?

C'est un peu tard, en ce qui me concerne.

« On peut voir les choses comme ça », répond-elle.

Je fais mine de réfléchir à la question. Puis je hausse ostensiblement les épaules.

« Bien sûr. Pourquoi pas ? » dis-je.

Je mets mes lunettes et ma casquette, car je me méfie quand même de la station d'autobus. Mia me précède dans le hall au carrelage orange où le parfum chimique du désinfectant ne parvient pas tout à fait à couvrir l'odeur d'urine. Nous prenons une série d'escalators, passons devant des fast-foods et des kiosques à journaux fermés et, après un autre escalier roulant, nous arrivons enfin devant une enseigne criarde au néon qui indique : « Bowling ».

« Nous y sommes ! dit-elle d'un ton à la fois timide et fier. Après l'avoir découvert, j'ai pris l'habitude d'y jeter un coup d'œil chaque fois que j'étais dans la station. Et puis j'ai commencé à venir juste pour passer un moment. De temps en temps, je grignote quelque chose au bar en regardant les joueurs.

— Pourquoi ne joues-tu pas toi-même ? »

Mia penche la tête de côté, puis tapote son coude.

Ah ! son coude ! Son talon d'Achille. C'est pourtant l'une des rares parties de son corps sorties intactes de l'accident. Il n'avait pas eu à subir de greffe de peau, de points de suture, de pose de plâtre ou d'insertion de broches, mais quand elle s'était remise au violoncelle pour essayer désespérément de retrouver son niveau d'avant, il l'avait fait souffrir. La radio et l'IRM n'ayant rien révélé, les médecins avaient conclu à un héma-tome ou à une contusion nerveuse. Ils avaient suggéré qu'elle ralentisse le rythme, ce qui l'avait mise hors d'elle. Si elle ne pouvait pas jouer, criait-elle, il ne lui restait plus rien. *Eh bien, et moi ?* avais-je pensé. Quoi qu'il en soit, elle avait ignoré les conseils des médecins et avait continué à s'exercer malgré la douleur. Peut-être s'y était-elle habituée. Ou alors ça s'était amélioré.

« Deux ou trois fois, j'ai essayé d'attirer ici des gens de Juilliard, mais ce n'était pas leur truc, déclare-t-elle. Tant pis. C'est *l'endroit* qui me plaît. Son caractère secret. Je n'ai pas besoin de jouer au bowling pour l'apprécier. »

Donc, ton petit ami intello n'est pas du genre restos crades et bowlings ?

Autrefois, Mia et moi, nous allions au bowling, soit tous les deux, soit avec sa famille. Kat et Denny étaient très forts à ce sport, qui correspondait au côté rétro de Denny. Même Teddy arrivait à réaliser un score de quatre-vingts.

Que tu le veuilles ou non, Mia Hall, tu as quelques brins de grunge dans ton ADN, grâce à ta famille. Grâce à moi aussi, peut-être.

« On peut faire une partie, si tu veux », dis-je.

Elle sourit, ravie, mais désigne de nouveau son coude et secoue négativement la tête.

Je précise :

« Tu n'es pas obligée de lancer la boule. Tu peux être spectatrice. Ou même, je peux jouer pour nous deux. Si c'est ta tournée d'adieu, ce serait dommage que tu ne joues pas au moins une fois ici.

— Tu ferais ça pour moi ? »

La surprise qui perce dans sa voix m'émeut.

« Bien sûr, pourquoi pas ? Je n'ai pas mis les pieds dans un bowling depuis une éternité. »

Ce n'est pas tout à fait exact. Une fois, Bryn et moi avons loué une piste vingt mille dollars pour une heure, en faveur de je ne sais plus quelle bonne cause, mais nous n'avons pas touché à la boule. Je me suis contenté de boire du champagne pendant que Bryn bavardait à droite, à gauche.

À l'intérieur, outre le désinfectant, ça sent la bière, la cire, le hot dog. Le parfum naturel d'un bowling. Les pistes sont occupées par des gens très ordinaires qui sont visiblement là pour le plaisir. Personne ne nous regarde avec curiosité. En fait, on ne nous regarde pas du tout. Je retiens une piste et j'ajoute la location des chaussures. La totale.

Mia esquisse une petite danse en choisissant une boule rose de huit livres avec laquelle je jouerai à sa place.

« Quels prénoms prend-on ? » interroge Mia.

Avant, on choisissait des prénoms de musiciens. Elle prenait un pseudo d'icône punk et moi le prénom d'un musicien classique. Genre Debbie et Ludwig.

« Choisis. »

Je préfère que ce soit elle, car j'ignore jusqu'à quel point on est censés revivre le passé. Mais quand je vois les prénoms qu'elle entre, je manque tomber à la renverse. *Kat* et *Denny*.

Devant mon expression, elle semble embarrassée.

« Ils aimaient le bowling, eux aussi », se hâte-t-elle de dire.

Puis elle change « Kat » en « Pat » et « Denny » en « Lenny ».

« Ça te va, comme ça ? » demande-t-elle avec une gaieté forcée.

Ma main tremble lorsque je m'avance sur la piste avec la boule rose de « Pat ». Du coup, je n'abats que huit quilles. Mia s'en moque. Elle pousse de petits cris ravis.

« Je vais réaliser un spare ! » hurle-t-elle.

Puis, se rendant compte qu'elle se fait remarquer, elle contemple ses pieds.

« Merci pour la location des chaussures, dit-elle. C'est une gentille attention.

— Je t'en prie.

— Comment se fait-il qu'ici personne ne te reconnaisse, Adam ?

— Question de contexte, je pense.

— Alors, tu pourrais peut-être ôter tes lunettes noires. Ce n'est pas très agréable pour te parler. »

J'ai oublié que je les avais toujours sur le nez. Me sentant complètement idiot, je me hâte de les enlever.

« C'est beaucoup mieux, constate Mia. Franchement, je me demande pourquoi les musiciens classiques boudent le bowling. J'adore. »

Je ne sais pourquoi cette allusion aux snobs de la Juilliard me stimule, mais le fait est que j'abats les deux quilles restantes pour le compte de Mia. Elle manifeste bruyamment sa joie.

« Ça t'a plu ? dis-je. La Juilliard, je veux dire. C'était comme tu t'y attendais ?

— Non, répond-elle, et j'éprouve à nouveau cet étrange sentiment de victoire, mais elle poursuit : C'était mieux. Sauf au début. J'ai eu du mal.

— Rien d'étonnant, tout bien considéré.

— Justement, le problème était là. La considération. Quand je suis arrivée à Juilliard, les gens en ont manifesté beaucoup à mon égard. Trop. Ma première camarade de chambre ne pouvait pas me regarder sans fondre en larmes. Toutes les autres aussi étaient des reines du mélo. La première année, je n'ai pas cessé d'en changer avant d'aller vivre en dehors. Tu sais que j'ai habité à onze endroits différents ici ? Un vrai record.

— Ça te servira pour quand tu seras sur la route.

— Tu aimes être sur la route, toi ?

— Pas du tout.

— Pourtant, tu visites quantité de pays. J'aurais cru que ça te plairait.

— Je ne vois que des hôtels, des salles de concert et un vague paysage par la fenêtre du bus de la tournée.

— Tu ne fais *jamais* de tourisme, Adam ? »

Les autres membres de Shooting Star en font, eux. Ils bénéficient de privilèges réservés aux VIP, comme de visiter le Colisée à Rome avant l'ouverture au public. Je pourrais en profiter, mais cela m'obligerait à me joindre au groupe, aussi je préfère rester dans ma chambre d'hôtel.

« Je n'ai pas le temps, mens-je. Tu disais que tu avais des problèmes avec tes camarades de chambre ?

— Oui. Leur compassion était trop pesante. C'était pareil avec tout le monde, y compris les profs, que je rendais nerveux, alors que ç'aurait dû être le contraire. Quand tu joues pour la première fois avec l'orchestre, on décortique ton jeu devant tout le monde, c'est une sorte de rite de passage pour chaque élève. Or, moi, j'y ai échappé. J'avais l'impression d'être invisible. Personne n'a osé me critiquer. Et crois-moi, ce n'était pas à cause de mon talent.

— Peut-être que si. »

Je m'avance un peu, passe mes mains sous le sèche-mains.

« Mais non ! L'un des premiers cours qu'on doit suivre, c'est la théorie. Il y a un prof qui s'appelle Lemsky. C'est un ponte. Un Russe. Très dur. Haut comme trois pommes, tout ratatiné. Sorti tout droit d'un roman de Dostoïevski. Mon père l'aurait adoré. Il m'a convoquée au bout de quelques semaines. Généralement, c'est mauvais signe. »

Mia se tait quelques instants, puis reprend :

« Il était assis derrière un bureau couvert de papiers et de partitions, et il s'est mis à me parler de sa famille, des Juifs ukrainiens qui ont survécu aux pogroms et à la Seconde Guerre mondiale. Puis il m'a dit : "Dans la vie, on a tous à faire face à des épreuves, à des souffrances. À cause de ce que vous avez enduré, les professeurs vont vous dorloter. Eh bien, moi, je pense que, dans ce cas, vous auriez tout aussi bien pu laisser la vie dans l'accident, parce qu'on va étouffer votre talent. C'est ce que vous voulez ?" Je n'ai su que répondre. Alors il a répété la question, en *hurlant*. J'ai réussi à émettre un "non". "Parfait", a-t-il répondu en saisissant son bâton de chef d'orchestre. Et il m'a carrément fichue dehors en me menaçant avec. »

J'ai une petite idée de l'endroit où j'aimerais le mettre, ce bâton. Je m'empare de ma boule et la lance sur la piste. Elle pulvérise toutes les quilles.

« Super ! » s'exclame Mia.

Je reviens vers elle, un peu plus calme.

« Ton prof était un vrai con, dis-je.

— Bon, c'est vrai que ce n'est pas un as de la diplomatie et, sur le moment, il m'a fait flipper, mais aujourd'hui je pense que ce jour-là, j'ai reçu la leçon de ma vie. Parce qu'il était le premier à ne pas me donner un traitement de faveur. »

Content d'avoir une raison de lui dissimuler mon expression, je me tourne et je lance sa boule rose, mais elle dévie vers la droite. J'abats sept quilles et je fais un split avec les trois restantes. Le lancer suivant en renverse une seule. Par souci d'équité, je manque volontairement le spare de mon frame suivant en abattant six quilles.

Pendant ce temps, Mia continue son récit.

« Donc, quelques jours plus tard, dans l'orchestre, mon glissando est critiqué sans ménagement. »

Elle sourit au souvenir de cette humiliation.

« C'était formidable. La meilleure psychothérapie qui soit ! »

Je la dévisage. Il fut un temps où le terme « psychothérapie » était tabou. À l'hôpital et en centre de rééducation, elle voyait une psychologue. Cela faisait partie de son traitement. Mais elle avait refusé d'être suivie après sa sortie, malgré les objections de Kim et les miennes, car, disait-elle, passer une heure par semaine à parler de sa famille disparue n'avait rien de thérapeutique.

« J'ai l'impression que cet épisode a libéré les autres profs, poursuit-elle. Lemsky m'a mis une pression d'enfer. Je n'avais plus de vie en dehors du violoncelle. L'été, je jouais lors de festivals, comme Aspen ou Marlboro. Et puis Ernesto et lui m'ont poussée à auditionner pour le programme des Young Concert Artists. Une folie. À côté, l'examen d'entrée à Juilliard ressemblait à une formalité. Mais j'ai réussi. J'ai été prise. Voilà pourquoi j'ai joué ce soir au Carnegie Hall. Normalement, à vingt ans, on ne donne pas un récital dans la salle Zankel. Du coup, toutes les portes se sont ouvertes. Maintenant, j'ai un manager et j'intéresse certains agents. C'est dans ce but que Lemsky m'a poussée à passer mon diplôme plus tôt. Pour lui, j'étais prête à faire des tournées. Mais je ne suis pas sûre qu'il ait eu raison.

— D'après ce que j'ai entendu ce soir, si.

— Tu crois ? »

Elle paraît soudain si jeune, si impatiente, que c'en est presque douloureux.

« C'est autre chose que les festivals. Je vais être seule, ou en soliste avec un orchestre, un quatuor, ou un ensemble de musique de chambre. Parfois, je me dis que je ferais mieux de trouver un poste stable dans un orchestre. Comme toi dans ton groupe. La scène change, mais les musiciens sont les mêmes. Ce doit être tellement réconfortant d'être tout le temps avec Liz, Mike et Fitzy ! »

Je pense au groupe, qui, à l'heure où nous parlons, est normalement dans l'avion au-dessus de l'Atlantique. Il y a un océan entre nous, mais ce n'est rien à côté de ce qui nous sépare désormais. Et puis ma pensée revient à Mia, à la façon dont elle a interprété Dvořák, aux réflexions du public après sa prestation.

« Ne fais surtout pas ça, Mia. Tu gâcherais ton talent.

— Je crois entendre Lemsky !

— Génial. »

Elle éclate de rire.

« Je sais qu'il a l'air d'un dur à cuire, mais il pense sans doute qu'en me poussant à réussir il aide à combler un vide. » Elle se tourne vers moi et plonge son regard dans le mien. « Mais ce n'est pas ma carrière

qui remplira le vide. Tu le comprends, n'est-ce pas ?
Tu l'as toujours compris. »

Brusquement, toutes les merdes de la journée me
reviennent – Vanessa, Bryn et les rumeurs de grossesse
des tabloïds, et *Shuffle*, et la perspective d'une tournée
avec un groupe qui n'est plus derrière moi.

Et j'ai envie de dire : *Mia, tu ne comprends pas ?
C'est la* musique*, le vide. Et tu en es la raison.*

Onze

Dans le groupe, on avait toujours eu un code : les sentiments d'abord, le business ensuite. Donc, je ne me suis pas beaucoup préoccupé des réactions des autres à mon congé de longue durée. Je ne pensais pas être tenu à des explications sur mon absence.

Quand je suis sorti du trou et que j'ai écrit ces dix premières chansons, j'ai appelé Liz, qui a organisé un dîner avec Mike et Fitzy. On s'est installés autour de la « table club », une mocheté des années 1970 récupérée sur un trottoir, qu'on avait décorée avec des flyers du groupe et laquée pour lui donner un air « club ». J'ai commencé par m'excuser d'avoir disparu de la circulation. Puis j'ai sorti mon ordinateur portable et je leur ai passé des enregistrements de ce que j'avais fait. Les yeux écarquillés, Liz et Fitzy sont restés la fourchette en l'air au-dessus de leur assiette de lasagnes en écoutant *Pont*, *Poussière*, *Suture*, *Roulette russe*, *Animé*…

« Dire qu'on pensait que tu avais remballé et que tu te tapais un job merdique ! s'est exclamé Fitzy. En fait tu as été *productif*, mec. Putain, ça balance. »

Liz a approuvé de la tête.

« Et comment. En plus, c'est superbe. Ça a dû être cathartique. »

Elle a tendu la main par-dessus la table pour prendre la mienne.

« J'aimerais lire les paroles. Tu les as dans l'ordi ?

— Non, chez moi. Je les ai gribouillées sur des bouts de papier. Je vais les transcrire et vous les envoyer par e-mail.

— Comment ça, chez toi ? a demandé Liz. Ce n'est pas chez toi, ici ? Ta chambre est restée en l'état. Un vrai musée. Pourquoi ne pas réemménager ?

— Je n'aurais pas grand-chose à déménager. À moins que vous ayez vendu mes affaires.

— On a essayé, mais personne n'en a voulu, a dit Fitzy avant d'ajouter avec un sourire moqueur : Simplement, ton lit a servi d'étagère à chapeau. »

J'avais commis l'erreur de lui confier un jour qu'avec toutes mes superstitions, je craignais de finir par ressembler à mon grand-père disparu, qui croyait notamment que poser un chapeau sur un lit portait malheur.

Liz a pris un ton rassurant.

« Ne t'inquiète pas, on brûlera de la sauge. »

Visiblement, Fitzy n'était pas le seul à être au courant.

Mike tambourinait sur mon portable.

« Bon, ce n'est pas tout, a-t-il maugréé.

— Ça fait dix titres, mec, a lancé Fitzy en souriant jusqu'aux oreilles, révélant un fragment d'épinard collé sur ses dents. Dix titres géniaux. Pratiquement de quoi faire un album. On en a déjà assez pour enregistrer.

— Et ce sont seulement les chansons que j'ai terminées, ai-je précisé. Il y en a encore dix à venir, au moins. Je ne sais pas ce qui se passe, mais ça n'arrête pas de jaillir, comme si elles étaient déjà toutes prêtes et que quelqu'un ait appuyé sur la touche "Play". Je fais le max pour aller vite. »

Liz m'a adressé un clin d'œil.

« Obéis à ta muse, c'est une maîtresse capricieuse.

— Tout ça c'est bien gentil, a dit Mike, mais on ne sait même pas s'il va y avoir un album. Si un label va encore vouloir de nous. Je vous rappelle qu'on était partis sur les chapeaux de roue et qu'il a tout fait foirer. »

Liz a protesté.

« Il n'a rien fait foirer. Primo, il n'y a pas beaucoup de temps de perdu, juste quelques mois. Deuxio, notre album chez Smiling Simon a cartonné dans les charts indie et fonctionné à plein avec les radios universitaires. Et j'ai continué à assurer la promo côté facs.

— Sans compter, mec, que *Perfect World* est même sorti du circuit des facs et qu'on l'entend sur les radios satellite, a lancé Fitzy. Je suis sûr que tous ces directeurs artistiques vont nous faire la danse du ventre pour écouter ça.

— T'en sais rien. Ils ont leurs tendances, leurs quotas, leur style, tout le bazar. Et ce que je veux dire, c'est que lui – Mike a tendu un doigt accusateur vers moi – il plante le groupe sans un mot et se repointe la bouche en cœur. »

Il n'avait pas tort, mais après tout je n'avais forcé personne à m'attendre.

« Je suis désolé, ai-je dit. Il peut nous arriver à tous de vaciller. Mais vous auriez pu me remplacer, prendre un nouveau guitariste et signer avec une major. »

Au regard rapide qu'ils ont échangé tous les trois, j'ai compris qu'ils avaient déjà envisagé cette possibilité et que Liz avait dû s'y opposer. Shooting Star était une démocratie : nous avions toujours pris nos décisions collectivement. À bien y réfléchir, pourtant, le groupe était l'œuvre de Liz. C'est elle qui l'avait fondé. Elle m'avait recruté en m'entendant jouer ici et là, puis elle avait harponné Fitzy et Mike. Donc, toute modification de la composition de Shooting Star dépendait d'elle. C'est peut-être pour cette raison que Mike avait commencé à jouer avec un autre batteur sous le nom de Ranch Hand.

« Je ne comprends pas ce que tu cherches, Mike, a lancé Fitzy. Tu veux qu'Adam t'offre une boîte de chocolats ou un joli bouquet avec ses excuses ?

— Va te faire voir, Fitzy.

— Je veux bien vous offrir des fleurs, ai-je proposé. Des roses jaunes. Paraît qu'elles symbolisent l'amitié. Dites-moi ce que vous souhaitez, vos désirs sont des ordres. »

Fitzy a poussé un grognement.

« Écoute, mec, on a ces chansons extra. J'aurais aimé en être l'auteur. Mais il se trouve que c'est Adam. Et il est de retour. Alors, on pourrait se remettre au boulot et voir où ça nous mène. Et peut-être aussi l'aider à reprendre un peu goût à la vie. OK ? »

Les craintes de Mike n'étaient pas justifiées. Parmi les labels majeurs qui nous avaient courtisés à l'automne, certains ne se manifestaient plus, mais quelques-uns étaient toujours intéressés et quand ils ont reçu la démo des chansons qui allaient constituer *Dommage collatéral*, ils ont réagi au quart de tour. En moins de temps qu'il n'en faut pour le dire, on était sous contrat et en train d'enregistrer avec Gus dans le studio.

Pendant quelque temps, tout s'est bien passé. Liz et Fitzy avaient tous les deux raison. L'enregistrement de *Dommage collatéral* constituait une catharsis. Et le plaisir était là. Travailler avec Gus était une expérience formidable. Il a fait sortir notre bruit de nos tripes, nous a appris à ne pas craindre notre force brute et on a suivi le mouvement. Et c'était cool d'enregistrer et d'être à Seattle dans un super appartement.

La tournée a débuté peu de temps après la sortie de l'album. Cinq mois à travers l'Amérique du Nord, l'Europe et l'Asie. Un truc hyper excitant, *a priori*. Et ça l'était, mais c'était aussi épuisant. J'ai fini par être mort de fatigue en permanence. Et par me sentir très seul. J'avais largement le temps de penser à Mia. Je me terrais dans ma chambre d'hôtel et à l'arrière du bus de la tournée. Je tenais tout le monde à distance. Même Liz. Surtout Liz. Comme elle n'était pas sotte, elle comprenait ce qui se passait – et pourquoi. Elle se donnait du mal pour me sortir de mon isolement. Jusqu'au moment où elle s'est lassée.

Pendant la tournée, l'album a décollé. Platine. Puis double platine. Les concerts avaient lieu à guichets fermés. Du coup, les organisateurs ont rajouté des dates. Il y avait du merchandising tous azimuts. T-shirts Shooting Star, casquettes Shooting Star, affiches Shooting Star, stickers Shooting Star. Les journalistes ne nous lâchaient plus. On était interviewés non-stop. Au début, c'était flatteur. Signe que le public nous appréciait assez pour s'intéresser à nos déclarations.

Mais il s'est bientôt passé quelque chose de bizarre au cours de nos interviews. Le journaliste réunissait le groupe et commençait par poser quelques questions à tous, puis, très vite, il me tendait le micro ou tournait la caméra vers moi. Et quand j'ai essayé d'associer les autres membres, la presse a réclamé de m'interviewer, moi seul. J'ai systématiquement refusé jusqu'au moment où il est devenu impossible de donner des interviews collectivement.

Quatre mois après le début de la tournée, nous étions à Rome. Le magazine *Rolling Stone* avait envoyé un reporter qui devait nous suivre pendant quelques jours.

Un soir, après le concert, nous faisions la fermeture du bar de l'hôtel. L'endroit était agréable et on décompressait tranquillement en buvant de la grappa, quand le journaliste s'est mis à me soumettre à un feu roulant de questions. On était une douzaine – il y avait Liz, Fitzy, Mike, Aldous, quelques roadies et un petit nombre de groupies – mais ce type agissait comme si j'étais le seul présent.

« Adam, est-ce que tu considères que *Dommage collatéral* raconte une seule et même histoire ? – Cet album, Adam, il t'a fait prendre une nouvelle dimension en tant que *song writer* ? – Adam, tu as déclaré dans d'autres interviews que tu ne voulais pas suivre "cette voie obscure des rock stars", mais comment fais-tu pour ne pas succomber ? »

Mike ne l'a pas supporté. Il a explosé.

« C'est du détournement ! a-t-il hurlé, s'adressant à moi. Ce n'est pas Adam Wilde en concert, tu es au courant ? On est un groupe. Une unité de quatre personnes. Ou bien t'as oublié ça en suivant la "voie obscure des rock stars" ? »

Il s'est ensuite tourné vers le journaliste.

« Tu veux qu'on parle du célèbre Adam Wilde ? Eh bien, j'ai quelques anecdotes croustillantes à raconter. Ça t'intéresse de savoir qu'avant chaque concert notre rock star ici présente se livre à des pratiques vaudoues à la con ? Que si quelqu'un siffle dans les coulisses, il pique une crise parce que ça porte malheur… ?

— Mike, je t'en prie, a coupé sèchement Liz. Tous les artistes ont leurs petits rituels. »

Le journaliste n'en perdait pas une miette et gribouillait sur son bloc. Aldous est alors intervenu. Diplomatiquement, il a déclaré que nous étions tous fatigués et il a mis dehors les personnes extérieures au groupe. Puis il a essayé d'arranger les choses entre

Mike et moi. Mais Mike a entamé le second round en me reprochant en termes choisis de monopoliser l'attention. Je me suis tourné vers Liz, espérant qu'elle allait de nouveau prendre ma défense, mais elle contemplait fixement son verre. Fitzy, lui, a hoché la tête, l'air navré.

« Désolé d'avoir à vous le dire, a-t-il lancé, mais il va être temps que vous grandissiez, l'un et l'autre. »

Là-dessus, il est monté dans sa chambre. J'ai jeté un coup d'œil suppliant à Liz. Elle avait un air à la fois compatissant et las.

« Mike, tu as dépassé les bornes, a-t-elle dit. Et toi, Adam, essaie de voir les choses de son point de vue. De notre point de vue à *tous*. C'est dur de ne pas réagir, surtout que tu nous avais laissés tomber. Je comprends bien pourquoi, mais ça n'arrange rien. »

Ils étaient tous contre moi. J'ai levé les mains comme pour me rendre et je me suis précipité hors du bar, prêt à fondre en larmes, bizarrement. Dans le hall de l'hôtel, je suis tombé sur Rafaella, un mannequin italien qui avait pris un verre avec nous. Elle attendait un taxi. En me voyant, elle m'a souri. Son taxi est arrivé et elle m'a invité à monter d'un petit signe de tête. J'ai accepté. Le lendemain, j'ai pris une chambre dans un autre hôtel que le reste du groupe.

L'anecdote a été rapportée presque aussitôt par rollingstone.com et par les tabloïds quelques jours plus tard. Notre label s'est affolé, comme les organisateurs de la tournée, qui se sont hâtés de nous décrire les représailles auxquelles nous nous exposions si nous n'honorions pas nos engagements. Aldous nous a envoyé une médiatrice pour tenter de nous rabibocher, Mike et moi, mais ça n'a servi à rien. L'idée géniale qu'elle a eue est encore appliquée à ce jour : ce que Fitzy appelle « le divorce ». Jusqu'à la fin de la tournée, je continuerais à descendre dans un hôtel, le reste du groupe dans un autre. Et les attachés de presse ont décidé qu'il valait mieux que Mike et moi ne soyons pas ensemble pour les interviews, ce qui fait que maintenant, les journalistes m'interrogent seul la plupart du temps. Oui, on peut le dire, ces changements ont été bien utiles !

La tournée de *Dommage collatéral* terminée, j'ai failli quitter le groupe. J'ai déménagé de la maison que je partageais avec Fitzy à Portland pour habiter seul. J'évitais les autres. J'étais à la fois furieux et honteux. Sans trop savoir comment, j'avais tout gâché. Et puis Liz est venue me voir un jour et m'a demandé de prendre un peu de recul.

« N'importe qui péterait les plombs après les deux dernières années qu'on a passées, surtout toi, a-t-elle déclaré – allusion discrète à Mia, sujet que nous évitions d'habitude. Je ne te demande pas de faire quoi que ce soit. Je te demande simplement de ne *rien* faire et de voir comment tu envisages les choses au bout de quelques mois. »

Ensuite, l'album a commencé à avoir toutes ces récompenses, j'ai rencontré Bryn et je suis allé vivre à Los Angeles. Comme je n'avais plus beaucoup à être en rapport avec le groupe, j'ai fini par m'habituer à l'idée de repartir pour un tour avec eux.

Bryn est la seule à savoir jusqu'à quel point j'ai été déstabilisé par notre tournée et combien j'appréhende la suivante. « Lâche-les ! » C'est sa solution. Pour elle, si je ne me lance pas seul, c'est parce que je traîne un complexe dû à mes origines modestes.

« Écoute, Adam, m'explique-t-elle, je n'ignore pas que tu as du mal à accepter de focaliser l'attention, mais dis-toi que tu le mérites amplement. Tu es l'auteur des paroles et d'une grande partie des mélodies. C'est toi qui as le talent ! Si on était dans le cinéma, tu serais une star à vingt millions de dollars et les autres se contenteraient des seconds rôles, tandis que là, vous partagez tout. En fait, tu n'as pas besoin d'eux. Surtout avec le mal qu'ils te font. »

Mais ce n'est pas une question d'argent. Cela ne l'a jamais été. Et me lancer seul ne semble pas être la solution. Je devrais encore affronter les tournées, dont la seule perspective me rend malade.

« Pourquoi n'appelles-tu pas le docteur Weisbluth ? » m'a suggéré Bryn au téléphone.

Elle m'appelait de Toronto, où elle bouclait son dernier film. Weisbluth était le psychiatre que le label m'avait envoyé voir quelques mois plus tôt.

« Il peut peut-être te donner quelque chose d'un peu plus fort. Et à ton retour, il faudra se mettre autour d'une table avec Brooke et envisager sérieusement une carrière en solo pour toi. Mais en attendant, tu *dois* faire cette tournée. Sinon, tu fiches en l'air ta réputation. »

Il y a pire à fiche en l'air qu'une réputation, non ? ai-je pensé.

Mais je n'ai rien dit. J'ai appelé Weisbluth, qui m'a fait une nouvelle ordonnance, et je me suis préparé à affronter la tournée. Sans doute Bryn comprenait-elle, comme tous ceux qui me connaissaient, que sous des dehors de bad boy, Adam Wilde est quelqu'un qui fait ce qu'on lui dit.

Douze

J'ai un bout de plomb à l'endroit du cœur
Trop dangereux à retirer, a dit le docteur
Mieux vaut le laisser où il est
Miracle le corps autour s'est reconstitué
Reste à franchir les portiques de sécurité

« Balle », *Dommage collatéral,* plage 12

Mia ne me révèle pas notre prochaine destination. Comme elle m'emmène visiter son New York secret, explique-t-elle, elle doit garder le mystère. Elle entreprend alors de me conduire hors de la station de bus Port Authority et de m'entraîner dans un labyrinthe de tunnels du métro.

Et je la suis. Même si je n'aime pas les secrets, même si j'estime que nous en avons déjà suffisamment entre nous, même si le métro concentre l'essentiel de mes craintes. Un endroit clos avec plein de monde d'où l'on ne peut s'échapper. J'en fais part à Mia, mais elle me ressort ce que j'ai dit un peu plus tôt au bowling à propos du contexte.

« Qui va s'attendre à rencontrer Adam Wilde dans le métro à trois heures du matin ? Et sans sa bande ?

D'ailleurs, à cette heure-ci, il ne doit pas y avoir foule, ajoute-t-elle en souriant. Et dans mon New York perso, je voyage en métro. »

Pourtant, quand nous atteignons la station Times Square, elle est bondée. Je commence à paniquer et ça ne fait que s'aggraver lorsque nous débouchons sur le quai noir de monde. Je me raidis et recule. Mia me jette un coup d'œil.

« C'est une mauvaise idée », dis-je.

Le bruit d'une rame qui arrive couvre le son de ma voix.

« Il n'y a pas beaucoup de métros la nuit, hurle Mia pour se faire entendre malgré le vacarme. Tous ces gens attendent depuis longtemps, mais une fois à l'intérieur, tout ira bien, ne t'inquiète pas. »

Elle se trompe. La rame est bourrée de passagers. Le genre qui n'a pas bu que de l'eau.

Je sens les regards braqués sur moi.

Je sais qu'il ne me reste plus de comprimés. À défaut, j'ai besoin d'une cigarette. *Maintenant*. Je sors mon paquet.

« Il est interdit de fumer dans le métro, me chuchote Mia.

— Je m'en fiche. »

Si l'on m'arrête, au moins je serai en sécurité avec la police.

Ma réponse l'exaspère.

« Si le but est d'éviter d'attirer l'attention sur toi, c'est le meilleur moyen, effectivement ! » explose-t-elle.

Elle m'entraîne dans un coin et poursuit sur un ton rassurant :

« Ça va aller. Je te promets que si le wagon ne se vide pas à la 34e Rue, on descend. »

Je m'attends presque à ce qu'elle me caresse la nuque comme elle le faisait lorsqu'elle me sentait nerveux.

À la station 34e Rue, beaucoup de passagers descendent et je commence à respirer. Il en descend encore à la 14e, mais, à Canal Street, un groupe de jeunes bobos monte. Je me mets à l'autre bout, le dos tourné.

Rares sont ceux qui comprennent à quel point je redoute les foules dans un petit espace confiné. Moi-même je ne l'aurais pas compris il y a trois ans. Mais c'était avant que, dans une petite boutique de Minneapolis où j'achetais tranquillement des disques, un type me reconnaisse et hurle mon nom. Aussitôt, j'avais été entouré, étouffé, immobilisé par une nuée d'excités, qui quelques secondes plus tôt étaient des clients tranquilles.

C'est dommage parce que j'aime les fans quand je les rencontre individuellement. Mais lorsqu'ils sont en nombre, ils se comportent comme un essaim d'abeilles et semblent oublier qu'ils ont affaire à un simple mortel fait de chair et de sang, qu'ils peuvent blesser et effrayer.

Tout se passe bien dans notre coin, jusqu'au moment où je commets l'erreur de jeter un coup d'œil par-dessus mon épaule pour vérifier que personne ne me regarde. Et ce quart de seconde suffit. Je croise le regard de quelqu'un. Un regard dans lequel s'allume une étincelle. Comme une allumette qui s'enflamme. C'est tout juste si je ne sens pas le phosphore dans l'atmosphère. D'abord, il y a un silence, puis des chuchotements au fur et à mesure que la nouvelle se répand. Malgré le bruit du métro, j'entends qu'on prononce mon nom, je vois les petits coups de coude que les gens se donnent, les téléphones qu'ils cherchent fébrilement, les pieds qui s'agitent. Tout cela ne dure pas plus de quelques secondes, mais ce sont des secondes épouvantables. Un type barbu s'apprête à se lever de son siège, bouche ouverte, pour m'interpeller. Je sais qu'il ne me veut pas de mal, mais une fois qu'il aura prononcé mon nom, je vais avoir toute la rame sur le dos.

J'attrape Mia par la main. Elle pousse un cri tandis que je l'entraîne vers la porte de séparation avec le wagon voisin.

« Mais qu'est-ce que tu fais ? » demande-t-elle tandis que j'ouvre la porte et me précipite dans le wagon en la tirant derrière moi.

Je ne réponds pas. Sans la lâcher, je traverse le wagon, puis le suivant, et encore un autre. À ce moment, le métro ralentit et entre dans une station. Je me rue sur le quai, en tenant toujours fermement Mia. Nous montons les escaliers quatre à quatre. J'ai conscience que je suis brutal, mais tant pis. Une fois à l'air libre, je continue ainsi pendant plusieurs centaines de mètres. Jusqu'à ce que je sois certain que personne ne nous suit. Alors, seulement, je m'arrête.

« Tu veux nous tuer, ou quoi ? » hurle-t-elle.

Soudain, je me sens coupable, mais je lui renvoie la balle.

« Et toi, tu veux qu'une foule en délire se rue sur moi ? »

Baissant les yeux, je m'aperçois que je la tiens toujours par la main. Elle m'imite. Je la lâche.

« Quelle foule en délire, Adam ? » demande-t-elle d'une voix douce.

Voilà qu'elle me parle comme à un esprit dérangé, maintenant. On croirait entendre Aldous quand j'ai une crise d'angoisse. Mais au moins Aldous ne risque pas de m'accuser d'imaginer que des fans m'assaillent. Il l'a déjà vu trop souvent.

« J'ai été reconnu dans le métro », dis-je entre mes dents.

Je me remets en marche. Elle hésite un instant, puis accélère pour me rattraper.

« Personne ne savait qui tu étais. De quoi parles-tu, Adam ?

— De quoi je parle ? D'avoir des photographes en permanence devant ma porte. De n'avoir pu aller acheter un disque depuis bientôt deux ans. De ne pouvoir me promener sans me sentir comme un lapin le jour de l'ouverture de la chasse. De lire dans un tabloïd que je sniffe de la coke chaque fois que j'ai un rhume. »

Je l'observe dans l'ombre de la ville endormie. Ses cheveux dissimulent son visage et je devine qu'elle se demande si je ne suis pas un peu fêlé. Je dois me retenir pour ne pas la prendre par les épaules et la balancer contre un mur jusqu'à ce que les vibrations résonnent dans nos deux corps. Parce que soudain, j'ai envie d'entendre ses os craquer. De sentir sa chair tendre céder, de plaquer mes hanches contre elle, de lui tirer la tête en arrière jusqu'à ce que son cou soit exposé. De prendre ses cheveux à pleines mains jusqu'à ce qu'elle halète. De faire couler ses larmes et de les lécher. Et puis de poser mes lèvres sur les siennes et de la dévorer, de lui transmettre tout ce qu'elle ne parvient pas à comprendre.

« C'est n'importe quoi, à la fin ! Où est-ce que tu m'emmènes, en fait ? »

L'adrénaline que je sécrète a changé ma voix en grondement.

Mia semble déconcertée.

« Je te l'ai dit. Je veux te faire connaître mon New York secret.

— J'en ai soupé, des secrets. Dis-moi où nous allons, oui ou merde.

— Adam, depuis quand es-tu ce genre… ? »

De connard ? D'égocentrique ? De narcissique ? J'ai toute une liste de termes à lui proposer. Je les ai déjà entendus.

« … de mec, Adam ? »

J'ai envie de rire. De *mec* ? Elle n'a rien trouvé de plus méchant ? Sur le moment, cela me rappelle que, d'après mes parents, quand je piquais une colère étant petit, je les traitais de « pistons », ce qui me paraissait être l'insulte suprême.

Et puis je me souviens d'une conversation que nous avons eue, Mia et moi. Avec son amie Kim, elles avaient l'habitude de tout classer en deux catégories opposées et Mia m'annonçait chaque jour une nouvelle trouvaille. Un soir, elle m'a confié que le genre masculin se divisait en « Hommes » et en « Mecs ». *Grosso modo*, la première catégorie rassemblait tout ce qui portait une auréole, la seconde, les amateurs de concours de T-shirts mouillés et autres pauvres types. À l'époque j'étais un Homme.

Et maintenant, je suis un Mec. C'est blessant et je laisse mon expression le révéler brièvement. Mia me regarde, troublée, mais il est clair qu'elle ne se souvient de rien.

Quelqu'un a dit que le passé ne meurt jamais, mais à l'inverse c'est le futur qui est déjà mort, terminé. Cette nuit a été une erreur. Elle ne va pas me faire refaire le chemin à l'envers. Ni annuler les erreurs ou les promesses que j'ai faites. Ni reconquérir Mia. Ni me retrouver moi-même.

Dans les yeux de Mia passe une lueur. Elle se souvient de quelque chose, parce qu'elle se lance dans une explication de son choix du mot « mec ». Pour elle, les

« mecs » veulent toujours savoir ce que l'on va faire et où l'on va. Donc, poursuit-elle, elle m'emmène au ferry de Staten Island, qui n'est pas vraiment un secret, mais peu d'habitants de Manhattan font ça et c'est bien dommage parce qu'on a une vue magnifique de la statue de la Liberté et en plus c'est gratuit, alors qu'à New York tout est payant, mais si je redoute la foule mieux vaut laisser tomber, quoiqu'on pourrait peut-être juste aller voir et quitter le ferry au dernier moment si des gens montent à bord, mais à cette heure de la nuit elle est persuadée qu'il sera pratiquement vide...

Je ne sais toujours pas si elle se souvient de notre conversation sur les Hommes et les Mecs, mais cela n'a plus d'importance. Parce qu'elle a raison. Je suis un Mec, maintenant. Et je sais précisément à quel moment je le suis devenu.

Treize

Les groupies ont très vite fait leur apparition. Peut-être d'ailleurs étaient-elles déjà présentes, mais je ne les avais pas remarquées. En tout cas, dès qu'on a entamé la tournée, elles ont voleté autour de nous comme des colibris plongeant leur bec dans le cœur des fleurs.

L'une de nos premières initiatives, après avoir signé avec le label, a été d'engager Aldous comme manager. *Dommage collatéral* devait sortir en septembre et le label prévoyait une tournée modeste à la fin de l'automne, mais Aldous avait une autre idée.

« Vous avez besoin de retrouver vos marques, a-t-il décidé quand on a eu fini de mixer l'album. Vous allez reprendre la route. »

Donc, dès que l'album est sorti, il nous a organisé une tournée de dix concerts le long de la côte Ouest, dans des clubs où nous avions déjà joué, afin que nous reprenions contact avec nos fans et que nous nous réhabituions à jouer en public.

Le label nous a loué un Ford Econoline, un véhicule sympa avec un lit à l'arrière et une remorque pour le matériel, mais à part ça il n'y avait apparemment pas grand-chose de changé par rapport à nos précédents shows.

Apparemment. Parce que, en fait, ce n'était pas du tout la même chose.

Tout d'abord, le single *Animé* était un vrai tube. Pendant les quinze jours de la tournée, on a senti grandir le succès de concert en concert. Au début, il y avait simplement du monde, puis on a joué à guichets fermés et bientôt des queues interminables se sont formées.

Et l'énergie ! Il y avait de l'électricité dans l'air. On aurait dit que tous ces fans savaient qu'on était au seuil de quelque chose et qu'ils voulaient faire partie de ces instants, de notre histoire. Un secret qu'on partageait. C'est peut-être pour cela que ces concerts ont été les meilleurs, les plus frénétiques, les plus rock qu'on ait donnés, avec le public qui chantait en même temps, même s'il ne connaissait pas ces nouveaux morceaux. J'étais en super forme et je me sentais en quelque sorte blanchi, parce que même si notre réussite était une question de chance, *je* n'avais pas fichu les choses en l'air pour le groupe, en fin de compte.

Les groupies faisaient partie de cette vague d'énergie, de cette masse de fans qui grandissait de jour en jour. Au début, je ne les considérais même pas comme des groupies, parce que beaucoup étaient des filles que je connaissais vaguement depuis mes débuts. Sauf qu'avant, elles se comportaient en copines et que maintenant elles flirtaient sans vergogne. Après l'un de nos premiers concerts à San Francisco, l'une d'elles, Viv, une fille aux beaux cheveux noirs et aux bras couverts de tatouages, est venue me voir en coulisses. Elle s'est jetée dans mes bras et m'a embrassé sur la bouche. Et puis elle est restée avec moi toute la nuit, la main au creux de mes reins.

À cette époque, il y avait plus d'un an que, sur ce plan, c'était pour moi le grand calme. Mia... eh bien, elle avait été à l'hôpital, puis en centre de rééducation, et même sans les bandages, agrafes et autres plâtres, ce n'était pas possible. D'ailleurs, tous les fantasmes à propos des peignoirs sexy de l'hôpital sont de la rigolade. Il n'y a rien de moins excitant qu'un hôpital. L'odeur seule est un tue-l'amour.

Ensuite, à son retour, elle avait occupé une pièce du rez-de-chaussée qui avait été la lingerie de sa grand-mère et dont nous avions fait sa chambre. Je dormais sur un canapé dans le séjour. Il y avait des chambres libres à l'étage, mais Mia, qui marchait encore avec une canne, ne pouvait monter les escaliers, et je ne voulais pas m'éloigner d'elle.

Même si je dormais chez elle toutes les nuits, je n'avais jamais quitté officiellement la Maison du rock et, quelques mois après son installation chez ses grands-parents, elle avait suggéré un soir que nous y allions. On avait dîné avec Liz et Sarah, puis elle m'avait entraîné dans ma chambre. À peine la porte refermée, elle s'était jetée sur moi et m'avait embrassé comme si elle allait me dévorer tout cru. Au début, j'avais été déconcerté, effrayé par cette ardeur soudaine. J'avais peur de lui faire mal, de buter sur la cicatrice en dents de scie sur sa jambe, pourtant protégée par un bandage. Je craignais aussi de regarder la cicatrice rouge sur son autre cuisse, là où on avait prélevé des lambeaux de peau pour la greffe.

Malgré tout, mon corps avait répondu à son baiser, et mon esprit avait lâché prise. Nous nous étions étendus sur mon futon. Et puis, alors que nous étions passés aux choses sérieuses, elle avait fondu en larmes. Au début, je ne m'en étais pas aperçu, car ses petits sanglots ressemblaient aux gémissements qu'elle émettait quelques instants plus tôt. Mais très vite, ils étaient devenus plus violents. C'était quelque chose d'animal et de terrifiant qui montait du plus profond d'elle-même. Je lui avais demandé si je lui faisais mal, mais elle avait répondu que non et m'avait prié de sortir. Un peu plus tard, elle était apparue, tout habillée, et nous étions rentrés chez elle.

Elle avait essayé de nouveau un soir d'été, quelques semaines avant son départ pour la Juilliard School. Ses grands-parents étaient partis voir sa tante Diane, nous laissant la maison pour la nuit. Mia avait suggéré que nous dormions dans une des chambres du haut, dans la mesure où les escaliers n'étaient plus un problème pour elle. La journée avait été chaude. Nous avions ouvert les fenêtres et nous nous étions glissés sous les draps après avoir ôté le vieux dessus-de-lit. Je m'étais senti un peu embarrassé de me retrouver dans un lit avec elle après tout ce temps. J'avais donc pris un bouquin et empilé plusieurs oreillers pour que Mia pose sa jambe dessus, comme elle aimait le faire pour dormir.

« Je n'ai pas sommeil », avait-elle murmuré en caressant mon bras nu.

Elle s'était penchée et m'avait embrassé. Un baiser profond. J'avais commencé à le lui rendre. Et puis je m'étais rappelé cette nuit à la Maison du rock, ses gémissements d'animal, la peur qui se lisait dans ses yeux quand elle était sortie de la chambre. Pas question, alors, que je la renvoie dans ce tunnel. Ni que je m'y retrouve, moi aussi.

À San Francisco, avec Viv qui me caressait le creux des reins, je ne me suis pas fait prier. J'ai passé la nuit avec elle et, le lendemain matin, elle est venue prendre le petit déjeuner avec moi et le groupe avant notre départ pour la prochaine étape.

« Appelle-moi quand tu reviens ici », a-t-elle murmuré à mon oreille au moment où je lui ai dit au revoir.

« Te revoilà en selle, mec », m'a lancé Fitzy en faisant le « V » de la victoire, tandis qu'on descendait vers le sud avec le van.

« Oui, félicitations, a ajouté Liz sur un ton un peu triste. Mais ne retourne pas le fer dans la plaie, s'il te plaît. »

En effet, Sarah venait de terminer ses études de droit et travaillait pour une association humanitaire. Désormais, elle ne pourrait plus tout lâcher pour accompagner Liz sur les tournées.

« Amuse-toi, Wilde Man, a lancé Fitzy. Les tournées, c'est fait pour ça. »

Liz a pris un air interrogateur.

« Wilde Man… Tu vas jouer à l'homme sauvage, maintenant ? »

J'ai hoché négativement la tête en guise de réponse.

« N'empêche que s'il est à la hauteur de son surnom, j'ai bien fait d'acheter une boîte de préservatifs grand modèle avant de partir ! » a plaisanté Fitzy.

À Los Angeles, une autre fille m'attendait. Et une autre encore à San Diego. Mais rien de torride en perspective. Ellie, la fille de L.A., était une vieille copine ; Laina, celle de San Diego, une étudiante intelligente, sexy, et plus âgée. Aucun risque que ce soit le début d'une grande histoire d'amour.

C'est au cours de notre avant-dernier concert que j'ai rencontré une fille dont je n'ai pas retenu le prénom. Je l'avais remarquée depuis la scène. Elle ne cessait de me dévorer des yeux. Ça me faisait un peu flipper, mais en même temps ça me flattait. C'est-à-dire qu'elle me déshabillait littéralement du regard. Difficile de ne pas être excité dans ces conditions. Et c'était génial de se sentir à nouveau désiré à ce point.

Après le concert, le label avait organisé une fête sur invitations. Je ne m'attendais pas à y voir cette fille. Et pourtant, au cours de la soirée, je l'ai vue débarquer. Elle a foncé sur moi dans une tenue mi-pute, mi-top model : jupe au ras des fesses et cuissardes.

Sans prendre la peine de baisser la voix, elle m'a annoncé :

« Je suis venue d'Angleterre pour baiser avec toi. »

Là-dessus, elle m'a pris par la main et m'a entraîné au-dehors.

Nous sommes allés dans sa chambre d'hôtel. Le lendemain matin, je me suis senti mal à l'aise comme jamais. Je me suis glissé dans la salle de bains et après m'être habillé en hâte je m'apprêtais à filer en douce, mais elle m'attendait, prête à sortir.

« Qu'est-ce que tu fais ? ai-je demandé.

— Je viens avec toi, a-t-elle répondu, comme si ça allait de soi.

— Tu viens avec moi où ?

— À Portland, mon amour. »

Portland était le site de notre dernier concert et une sorte de retour à la maison dans la mesure où nous étions tous basés là-bas. Sauf que nous avions cessé de vivre en communauté dans la Maison du rock. Liz et Sarah étaient en train d'emménager de leur côté. Mike s'installait avec sa copine. Et je partageais la location d'une maison avec Fitzy. Mais nous habitions tout près les uns des autres et nous pouvions nous rendre à pied à l'endroit que nous avions loué pour répéter.

« Tu ne peux pas venir, ai-je répondu en regardant fixement le bout de mes Converse. Nous nous déplaçons en van, pas en bus. En plus, Portland, c'est le concert final, réservé à la famille et aux copains. »

Et tu n'es pas mon amour.

Elle a froncé les sourcils et j'ai filé, pensant ne plus en entendre parler. Mais lorsque je me suis pointé à Portland pour vérifier le son, elle m'attendait au Satyricon, le club de rock. Sur un ton pas vraiment aimable, je lui ai demandé de partir. Quelque chose dans le style : *Ce que tu fais porte un nom, ça s'appelle du harcèlement*. Pas très élégant, je sais, mais j'étais fatigué. Je ne lui avais pas demandé de venir. Et elle me faisait flipper. Pas seulement elle. Quatre filles en deux semaines, ça me prenait la tête. J'avais besoin d'être seul.

« Va te faire foutre, Adam, a-t-elle crié. Tu n'es même pas encore une rock star, alors arrête de te comporter comme un branleur qui se la pète. Et tu n'es même pas un supercoup. »

Et ça, devant tout le monde.

Je l'ai donc fait mettre dehors par les roadies. Avant de passer la porte, elle a hurlé des insultes sur moi, sur mes performances sexuelles, sur mon *ego*.

« Wilde Man, effectivement », a déclaré Liz en haussant un sourcil.

« Ouais. »

Je me sentais le contraire d'un homme sauvage. Je ne le savais pas encore, mais dès que la véritable tournée aurait commencé, celle organisée par notre label après le succès de l'album – cinq mois de concerts à guichets fermés et de groupies en veux-tu, en voilà –, je n'aurais plus qu'une idée, me cacher dans un trou de souris. Compte tenu de ma tendance au repli, on aurait pu penser que je me serais tenu à distance de cette affection gratuite offerte en permanence. Mais après les concerts, j'avais besoin de contact. De toucher la peau d'une femme, de goûter sa sueur sur ma langue. Puisque ce ne pouvait être la *sienne*, alors celle de la première venue ferait l'affaire… pendant quelques heures. Toutefois, j'avais retenu la leçon : terminé les filles qui restaient jusqu'au lendemain matin.

Donc, c'est sans doute à Seattle, cette nuit-là, que je me suis comporté en Mec pour la première fois. Mais ce n'était pas la dernière.

Quatorze

De ton côté du lit le croquemitaine dort
Et me chuchote « mieux vaudrait être mort »
Remplit mes rêves de sirènes hurlant les regrets
Et quand je m'éveille en sueur me donne un baiser

« Hou ! », *Dommage collatéral*, plage 3

J'accompagne tout de même Mia au ferry. Que faire d'autre ? Piquer une crise parce qu'elle n'a pas gardé en tête le compte-rendu de toutes les conversations que nous avions eues ? *Ça s'appelle aller de l'avant.*

Et elle a raison, le ferry est un endroit mort. À quatre heures trente du matin, il n'y a pas grand monde pour aller visiter Staten Island. Peut-être une dizaine de personnes dans la salle d'attente. Un trio de fêtards vautré sur un banc se repasse le film de la soirée. Quand nous arrivons à leur hauteur, l'une des filles lève la tête et me dévisage, puis elle demande à son copain :

« Merde, c'est pas Adam Wilde ? »

Le copain éclate de rire.

« Ben voyons. Et c'est Britney Spears qui l'accompagne. Qu'est-ce qu'Adam Wilde pourrait bien foutre sur le ferry de Staten Island ? »

C'est bien ce que je me demande.

Mais c'est apparemment un truc auquel tient Mia et c'est sa tournée-d'adieu-à-New-York-même-si-je-ne-m'en-vais-pas-vraiment. Je la suis donc jusqu'au pont du ferry et nous nous installons près du bastingage.

Au moment où nous quittons New York, l'horizon s'éloigne derrière nous tandis que l'Hudson se déploie d'un côté, le port de l'autre. Tout est paisible sur l'eau. Seul un couple de goélands trouble le calme en poussant des cris dans notre sillage, dans l'espoir, sans doute, de recevoir de la nourriture, à moins qu'ils ne recherchent simplement un peu de compagnie. Malgré moi, je me détends.

Au bout de quelques minutes, nous approchons de la statue de la Liberté. Elle est illuminée dans l'obscurité et l'on pourrait même croire que sa torche brûle pour de bon, accueillant les immigrants. *Eh oui, madame, me voici.*

Je ne suis jamais allé voir la statue de la Liberté. Trop de monde. Une fois, Aldous m'a proposé une visite privée en hélicoptère, mais je n'aime pas trop les hélicos. Pourtant, maintenant que je l'ai sous les yeux, je comprends pourquoi elle est sur la liste de Mia. Sur les photos, la statue a un air dur et déterminé, mais quand on la voit de près, son expression est plus douce. On dirait qu'elle sait quelque chose que nous ignorons.

« Tu souris », constate Mia.

Je me rends compte que c'est exact. Peut-être parce que je vis quelque chose qui me semblait impossible. Ou alors le sourire de la statue est contagieux.

« C'est agréable, reprend Mia. Je n'ai pas eu l'occasion de te voir sourire depuis quelque temps.

— En fait, je pensais à elle, dis-je en tendant le doigt vers la statue. On dirait qu'elle dissimule un secret. Le secret de la vie.

— Je comprends ce que tu veux dire.

— J'aimerais bien le connaître, en ce qui me concerne. »

Mia se penche légèrement par-dessus le bastingage.

« Il suffit que tu le lui demandes. Il n'y a personne. Pas de touristes en train de crapahuter à ses pieds comme des fourmis. Vas-y. Pose-lui la question. »

Je hoche négativement la tête.

« Je pourrais le faire à ta place, reprend-elle, mais c'est quelque chose de perso.

— Tu as l'habitude de parler aux statues ?

— Oui. Et aux pigeons. Alors, tu la poses, cette question ? »

Je jette un coup d'œil à Mia. Impatiente, elle a croisé les bras sur sa poitrine. Je m'appuie de nouveau au bastingage et lance :

« Statue de la Liberté ? »

J'ai à peine élevé la voix. Même s'il n'y a personne autour de nous, la situation est embarrassante.

« Plus fort ! » dit Mia.

Et zut !

« Statue ! C'est quoi, ton secret ? »

J'ai presque crié, cette fois.

Nous tendons tous deux l'oreille, comme si nous attendions que la réponse nous parvienne en retour.

« Qu'est-ce qu'elle a dit ? demande Mia.

— Elle a dit : "Liberté". »

Mia approuve de la tête.

« Attends ! »

Elle se penche à son tour, écarquille les yeux et fait mine d'écouter.

« Hum… Ah ! ah ! »

Elle se tourne vers moi.

« Eh bien, elle ajoute qu'elle ne porte rien sous sa robe et qu'avec la brise ça lui procure un certain frisson.

— C'est son côté coquin. Après tout, elle a été conçue par un Français. »

Ma plaisanterie la fait sourire.

« À nous entendre, on ne dirait pas que nous venons de l'Oregon !

— C'est un État puritain à l'Est, mais l'Ouest est plutôt hippisant.

— Il me semble qu'il y a une éternité que je l'ai quitté. »

Effectivement. Je reçois tout de même sa remarque comme une gifle.

« Comment se fait-il que tu ne sois jamais revenue ? » dis-je.

En réalité, ce n'est pas sur sa désertion de l'Oregon que je réclame une explication, mais je préfère me dissimuler derrière cet écran.

« J'aurais dû ? demande-t-elle, le regard fixé sur l'eau. À cause de quoi ?

— Je ne sais pas. Les gens.

— Les gens peuvent venir ici.

— Je parle de ta famille. Pour aller les voir au… »

Merde, qu'est-ce que je raconte ?

« Au cimetière ? »

Je fais « oui » de la tête.

« Je vais te dire, Adam. C'est exactement la raison pour laquelle je ne retourne pas là-bas.

— Trop douloureux ? »

Elle éclate de rire.

« Pas du tout. Tu crois vraiment que l'endroit où tu es enterré a un rapport avec celui où vit ton âme ? »

Où vit ton âme ?

« Tu veux savoir où vit l'âme des miens ? »

Soudain, j'ai l'impression de parler à un esprit. Au fantôme de la Mia rationnelle.

« Elle vit ici, poursuit-elle en se frappant la poitrine, puis elle se touche la tempe : Et ici. Je les entends sans cesse. »

Je ne sais que répondre. Étions-nous vraiment en train de plaisanter il y a deux minutes ?

Elle secoue la tête.

« Changeons de sujet, Adam. J'ai l'impression de parler comme un vieil Indien.

— Plutôt comme ta grand-mère. Continue.

— Si je te raconte, tu vas appeler les gars de SOS Psychiatrie.

— J'ai laissé mon téléphone à l'hôtel, tu sais bien. En plus, nous sommes sur un bateau. Et s'ils se pointent quand même, on dira que c'est pour moi. Allez, explique-moi ce qui te hante. »

Elle respire un bon coup et ses épaules se voûtent comme sous un poids trop lourd pour elle. Elle m'entraîne vers l'un des bancs et je m'assieds près d'elle.

« Hanter n'est pas le bon terme. Il a un côté intrusif. Mais je les entends. Tout le temps. Ils me parlent, exactement comme tu le fais. En temps réel. À propos de ce qui m'arrive. »

J'ai dû lui jeter inconsciemment un coup d'œil perplexe, parce qu'elle rougit.

« Oui, je sais, j'entends la voix des morts, poursuit-elle. Mais c'est autre chose, en réalité. Enfin, je crois. À moins que je ne sois complètement fêlée et que je n'en aie pas conscience, comme tous les dingues. En tout cas, je les entends. J'ignore si je les porte en moi ou s'il s'agit d'une puissance angélique du genre de celle à laquelle croit Mamie et si j'ai une ligne directe avec ceux qui sont au ciel. Quelle importance ? Je sais que j'ai l'air d'une folle qui parle toute seule de temps en temps, mais ce qui compte, c'est que je parle à Maman d'une jupe que j'ai repérée, que je discute avec Papa d'un récital qui

149

m'inquiète, que je décris un film à Teddy. Et je les entends me répondre aussi nettement que s'ils étaient dans la pièce. Le plus étrange, c'est qu'avant, dans l'Oregon, ça ne se passait pas ainsi. Là-bas, après l'accident, leurs voix étaient de moins en moins vivaces dans mon souvenir. J'ai même eu peur d'oublier complètement à quoi elles ressemblaient. Mais une fois que j'ai été partie, elles ont repris. C'est l'une des raisons pour lesquelles je ne veux pas revenir. J'ai peur de perdre le contact.

— Tu les entends en ce moment ? »

Elle écoute et hoche affirmativement la tête.

« Qu'est-ce qu'ils disent ?

— Ils disent : "C'est si bon de te revoir, Adam." »

Je sais qu'elle plaisante un peu, mais malgré la douceur de la nuit, je frissonne à l'idée qu'ils puissent me voir, qu'ils sachent ce que j'ai fait au cours des trois dernières années.

Mia s'en aperçoit.

« Je sais que ça paraît dingue. C'est pourquoi je n'en ai parlé à personne. Pas même à Ernesto, ni à Kim. »

J'ai envie de lui dire que ce n'est pas dingue du tout. Je pense à toutes les voix qui résonnent dans ma tête et qui sont sans doute d'autres versions de moi-même – un moi plus jeune, plus âgé ou tout simplement meilleur. Et à certains moments, quand tout allait vraiment mal, j'ai même tenté de communiquer avec *elle*, mais ça n'a jamais marché. Si je voulais entendre sa voix, je devais me rabattre sur mes souvenirs. Du moins en ai-je un paquet.

J'imagine le réconfort que cela m'aurait apporté si elle m'avait tenu compagnie mentalement, et je suis heureux qu'elle communique avec ses proches depuis tout ce temps. Cela me permet aussi de comprendre pourquoi, de nous deux, c'est elle qui paraît la plus sensée.

Quinze

Je suis sûr qu'en Oregon, lorsqu'un bébé naît, il quitte l'hôpital non seulement avec un certificat de naissance, mais avec un minuscule sac de couchage. Dans l'État, tout le monde fait du camping. Les hippies et les conservateurs. Les chasseurs et ceux qui embrassent les arbres. Les pauvres et les riches. Et même les rockers. Surtout les rockers. Notre groupe a perfectionné l'art du camping punk-rock. Quand l'envie nous en prend, nous fourrons notre bazar dans le van et, une heure après, nous sommes en route vers les montagnes, où nous allons faire des grillades en buvant de la bière, improviser avec nos instruments et dormir à la belle étoile. À la période difficile, quand on était en tournée, on préférait camper plutôt que d'être logés dans des endroits crades.

Car en Oregon, la nature n'est jamais loin.

J'ai dit que tous les habitants campaient, mais je dois faire une exception : Mia Hall.

« Moi, je dors dans un lit », m'a-t-elle répondu la première fois que je l'ai invitée à venir camper avec moi pendant un week-end.

Je lui avais alors proposé d'apporter un matelas gonflant. Rien à faire. Sa mère, Kat, qui avait entendu notre conversation, avait éclaté de rire.

« Si tu arrives à la persuader, Adam, tu es très fort, avait-elle dit. Denny et moi l'avons emmenée camper quand elle était toute petite. On avait prévu de passer une semaine au bord de la mer, mais elle a hurlé pendant quarante-huit heures sans discontinuer et on a dû rentrer. Elle est allergique au camping.

— Exact », avait confirmé Mia.

Teddy, son petit frère, avait mis son grain de sel.

« Je veux bien y aller, moi. Je dois me contenter du jardin, d'habitude.

— Tu fais une sortie par mois avec ton grand-père, avait corrigé Denny. Et je t'emmène aussi. C'est avec la famille *au complet* que c'est impossible. »

Il avait lancé un regard en coin à Mia, qui le lui avait rendu.

J'ai donc été stupéfait quand elle a accepté de camper avec moi. C'était pendant l'été précédant l'entrée de Mia en terminale et ma première année d'université et nous ne nous étions pratiquement pas vus. Je passais pas mal de temps en tournée, car ça démarrait fort pour le groupe, et Mia était partie en camp de musique, puis dans sa famille. Sans doute que je lui manquais beaucoup. Pour moi, il n'y avait pas d'autre explication.

Je n'ai pas fait l'erreur de lui imposer le mode de camping punk-rock. J'ai emprunté une tente et un matelas en mousse, et rempli une glacière de nourriture. Je voulais que tout se passe bien, même si, pour être franc, j'ignorais si ces précautions suffiraient, car j'avais du mal à comprendre pourquoi Mia détestait à ce point le camping. Elle n'avait pourtant rien d'une chichiteuse.

Quand je suis allé la chercher, toute la famille est venue nous dire au revoir, comme si nous partions pour une grande aventure et non pas pour une sortie de vingt-quatre heures.

« Qu'est-ce que tu as emporté à manger ? m'a demandé Kat à la dernière minute.

— Des sandwiches, des fruits, et pour ce soir des hamburgers, des haricots en boîte et des biscuits à la guimauve. Rien que du traditionnel. »

Elle a approuvé de la tête et m'a tendu un sac en plastique refermable.

« Tiens, un petit supplément en cas d'urgence.

— Qu'est-ce qu'il y a là-dedans ?

— Des tas de bonbons. Si Mia te fait trop suer, donne-lui ces saletés. Tant qu'elle aura sa dose de sucre, la faune et toi serez en sécurité.

— Merci, Kat.

— Tu es plus courageux que moi, Adam, je dois le reconnaître. Bon courage.

— Oui, bon courage, a lancé Denny. Tu vas en avoir besoin. »

Puis Kat et lui se sont regardés et ils ont rigolé.

Il y avait plein d'endroits super pour le camping à une heure de voiture, mais je voulais nous emmener dans un site vraiment spécial. Un lieu perdu dans la montagne au bout d'une route empruntée par les bûcherons, où j'étais allé souvent quand j'étais petit. Quand j'ai arrêté la voiture sur un petit chemin de terre, Mia a demandé :

« Où est le terrain de camping ?

— Les terrains de camping sont pour les touristes. Nous, on fait du camping sauvage.

— Du camping sauvage ? »

Elle semblait horrifiée.

« Relax, Mia. Mon père venait abattre des arbres par ici. Je connais le coin comme ma poche et si les douches et tout ça te préoccupent…

— Je me fiche des douches !

— Tant mieux, parce que tu auras ta piscine privée. »

J'ai coupé le moteur. Nous étions au bord d'une rivière, qui formait là une sorte de minuscule lac aux eaux cristallines. Tout autour, on ne voyait que des montagnes et des pins à perte de vue. Une vraie carte postale.

« C'est beau, a reconnu Mia, presque à contrecœur.

— Attends de découvrir la vue d'en haut. Tu es prête pour une petite balade ? »

Elle a fait signe que oui. J'ai attrapé des sandwiches, de l'eau et deux sachets de bonbons. On a escaladé la pente, puis on s'est reposés sous un arbre en lisant chacun un bouquin. Quand on est redescendus, la nuit tombait.

« Je ferais bien de monter la tente, ai-je dit.

— Tu as besoin d'aide ?

— Non. Tu es mon invitée. Tu te détends. »

Je me suis mis au travail, sauf que la tente était l'un de ces machins tendance dont tous les piquets se présentent en un puzzle géant. Rien à voir avec les minitentes que j'avais appris à assembler dans mon enfance. Une demi-heure plus tard, j'étais toujours en train de batailler avec celle-ci. Le soleil se couchait derrière les sommets et Mia avait posé son livre. Elle me regardait, l'air songeur.

« Ça te plaît ? ai-je demandé, trempé de sueur malgré la fraîcheur du crépuscule.

— Beaucoup. Si j'avais su, j'aurais accepté de venir beaucoup plus tôt. Mais tu es sûr que tu ne veux pas que je t'aide ? Il vaudrait mieux que je t'éclaire avec une torche. »

J'ai soupiré et levé les mains en signe de reddition.

« J'ai affaire à du matériel sportif coriace.

— Est-ce qu'il y a quelque part un mode d'emploi de ton adversaire ?

— Il y en a eu, sans doute, dans un lointain passé. » Elle s'est levée et a attrapé le sommet de la tente.

« Bon, tu prends cette extrémité, moi celle-ci. Je pense qu'il faut enrouler la partie la plus longue ici. »

Une dizaine de minutes plus tard, la tente était montée. Je suis allé chercher quelques gros cailloux et du petit bois et j'ai allumé un feu de camp. Puis j'ai fait cuire les burgers dans une poêle et réchauffé les haricots directement dans la boîte.

« Je suis impressionnée, a commenté Mia.

— Alors tu aimes le camping, finalement ?

— Je n'ai pas dit ça », a-t-elle répondu.

Mais j'ai vu qu'elle souriait.

Nous avons fini de dîner et lavé la vaisselle dans la rivière au clair de lune. Puis j'ai gratté ma guitare tandis que Mia sirotait son thé en suçant des bonbons. Et c'est un peu plus tard, enfin, que j'ai compris son problème.

Il devait être dix heures du soir, ce qui, lorsqu'on campe, correspond à peu près à deux heures du matin. On s'est glissés sous la tente.

« Tu veux savoir ce qu'il y a de meilleur dans le camping ? » ai-je demandé tandis qu'on se blottissait l'un contre l'autre dans le grand sac de couchage.

À ce moment-là, je l'ai sentie se raidir.

« C'était quoi ? a-t-elle chuchoté.

— De quoi parles-tu ?

— J'ai entendu un bruit.

— Sans doute une bête. »

Elle a allumé la lampe torche.

« Comment tu le sais ? »

J'ai pris la lampe et j'ai éclairé son visage. Elle avait les yeux agrandis par la peur.

« Mia, ai-je dit d'un ton rassurant, tout ce qu'on a à craindre ici, ce sont les ours, et ils ne s'intéressent qu'à la nourriture. C'est pour ça qu'on la met dans la voiture.

— Je n'ai pas peur des ours.

— De quoi, alors ?

— Eh bien, je me sens comme une cible.

— Une cible ? Pour qui ?

— Je ne sais pas, des gens armés. Tous ces chasseurs.

— Voyons, Mia, la moitié de la population de l'Oregon chasse. Ma famille chasse. Et ils chassent des animaux, pas des campeurs.

— Je sais, a-t-elle admis d'une petite voix, mais je me sens… sans défense. Quand on est dans la nature, le monde paraît immense et on a l'impression de ne pas y avoir sa place. »

Je l'ai serrée dans mes bras.

« Ta place, elle est ici, ai-je murmuré.

— Rends-toi compte, a-t-elle soupiré, la petite-fille d'un biologiste du Service des forêts en retraite a la trouille du camping ! Je suis vraiment une bête curieuse.

— En plus, tu es une violoncelliste classique dont les parents sont de vieux rockers punks. Tu es plus qu'une bête curieuse. Tu es un oiseau rare. Mon oiseau rare. »

On s'est tus quelques instants. Puis Mia a éteint la lampe.

« Quand tu étais petit, tu allais à la chasse ? a-t-elle demandé à voix basse.

— J'accompagnais mon père. »

Je chuchotais moi aussi, même si nous étions à des kilomètres de toute habitation. C'était l'obscurité qui voulait ça.

« Il disait toujours que pour mes douze ans, il m'offrirait un fusil et il m'apprendrait à tirer. Mais à neuf ans, des cousins m'ont emmené avec eux et l'un d'eux m'a prêté son arme. Et avec la veine du débutant, j'ai touché un lapin. Mes cousins m'ont félicité, parce que les lapins sont des cibles difficiles. Pourtant, quand ils me l'ont rapporté et que j'ai vu ce petit corps ensanglanté, j'ai fondu en larmes. J'ai hurlé qu'il fallait l'emmener chez le vétérinaire, mais bien sûr il était mort. J'ai tenu à ce qu'on l'enterre dans la forêt. Quand mon père l'a appris, il m'a expliqué que la chasse avait un sens quand on tirait une forme de subsistance de l'animal, par exemple pour se nourrir ou pour utiliser sa fourrure ; sinon, on tuait pour rien. Mais je crois qu'il a compris que je n'étais pas fait pour ça, parce que, pour mes douze ans, il ne m'a pas offert un fusil, mais une guitare.

— Tu ne m'avais jamais raconté cette histoire.

— Je ne voulais sans doute pas perdre ma crédibilité de punk rocker.

— Je pense que ça l'aurait renforcée, au contraire.

— Non, mais comme je suis émocore à fond, c'est bon. »

Un doux silence s'est installé sous la tente. On entendait une chouette hululer au-dehors. Mia m'a donné un coup de coude dans les côtes.

« Pauvre petit cœur sensible !

— De la part d'une fille qui a peur du camping, c'est un compliment. »

Elle a gloussé et je l'ai serrée encore plus fort contre moi. J'ai repoussé ses cheveux et dégagé sa nuque, où j'ai enfoui mon visage.

« Maintenant, à ton tour de me raconter une histoire embarrassante de ton enfance, lui ai-je murmuré à l'oreille.

— Tu les connais, elles sont encore toutes d'actualité, a-t-elle répliqué.

— Il doit bien y en avoir une que j'ignore. »

Elle s'est tue quelques instants avant de déclarer :

« Les papillons.

— Les papillons ?

— J'avais une peur panique des papillons.

— Décidément, tu as un problème avec la nature. »

Elle a ri.

« Je sais. En outre, quoi de plus inoffensif qu'un papillon ? Ils ne vivent que deux semaines. Mais j'étais terrifiée chaque fois que j'en voyais un. Mes parents ont tout fait pour me guérir de cette phobie : ils m'ont acheté des bouquins sur les papillons, des vêtements imprimés de papillons, des affiches représentant des papillons pour ma chambre. En vain.

— Est-ce qu'un jour tu aurais été attaquée par une bande de monarques ?

— Non ! Mais Mamie avait sa théorie sur la question. Elle disait que je projetais sur ces jolis insectes ma crainte à l'idée de subir moi-même une métamorphose, de passer en quelque sorte de l'état de chenille à celui de papillon.

— Ça ressemble bien à ta grand-mère. Comment t'es-tu débarrassée de cette peur ?

— Je n'en sais rien. Un jour, j'ai décidé que c'était terminé. Et ça a marché.

— Tu pourrais essayer de faire pareil avec le camping.

— Je suis obligée ?

— Non, bien sûr, mais je suis heureux que tu sois venue. »

Elle a levé ses yeux sombres vers moi et, malgré l'obscurité, j'ai pu les voir briller.

« Moi aussi, je suis contente d'être ici. Je n'ai pas envie de dormir tout de suite. Est-ce qu'on pourrait rester ainsi un petit moment ?

— Jusqu'au matin si tu veux. On va confier nos secrets à la nuit. Raconte une autre de tes peurs irrationnelles. »

Elle s'est blottie contre mon torse, comme si elle voulait s'enfouir dans mon corps.

« J'ai peur de te perdre », a-t-elle dit d'une voix à peine audible.

Je l'ai embrassée sur le front.

« J'ai parlé de peurs *irrationnelles*, Mia. Or ça, ça ne risque pas d'arriver.

— C'est plus fort que moi. »

Elle a continué à énumérer ce qui l'effrayait et j'ai fait la même chose. Nous nous sommes raconté à voix basse des histoires de notre enfance jusqu'à ce que, tard dans la nuit, Mia oublie d'avoir peur et s'endorme.

Quelques semaines plus tard, le temps s'est considérablement refroidi et c'est cet hiver-là que Mia a eu son accident. Par la suite, je ne suis plus jamais parti en camping et je crois que cette excursion avec elle était la plus belle de ma vie. Et quand je repense à notre tente, je la vois comme un petit bateau flottant sur la mer, d'où s'échappaient au clair de lune les notes musicales de nos chuchotements.

Seize

Tu as traversé l'eau, me laissant sur le bord
Ça m'a tué, mais il te fallait plus encore
Tu as fait sauter le pont et de là où tu étais
Terroriste enragée, tu m'as envoyé un baiser
Je me suis avancé, puis j'ai compris, livide
Que sous mes pieds il n'y avait plus que le vide

« Pont », *Dommage collatéral*, plage 4

Le ciel commence à blanchir. Bientôt, avec le soleil, un jour nouveau va se lever. Le jour de mon départ pour Londres. Le jour, aussi, du départ de Mia pour Tokyo. Le compte à rebours a commencé et il ressemble au tic-tac d'une bombe.

Nous sommes maintenant sur le pont de Brooklyn et j'ai l'impression que c'est la dernière étape, car nous quittons Manhattan, et ce n'est pas un aller-retour comme notre excursion à Staten Island. Et sans doute qu'après s'être confiée à moi, Mia pense que c'est à mon tour de lui faire des confidences. Effectivement, au milieu du pont, elle s'arrête soudain et me fait face.

« Alors, qu'est-ce qui se passe avec le groupe ? » interroge-t-elle.

Le vent est tiède, mais je frissonne.

« Qu'est-ce que tu veux dire ? »

Elle hausse les épaules.

« Il se passe quelque chose, je le sens. Tu m'as à peine dit deux mots sur les autres. Vous étiez inséparables et voilà que vous ne vivez même plus dans le même État. Et vous n'êtes pas partis pour Londres tous ensemble. Pourquoi ?

— Je te l'ai dit. Question de logistique.

— Ils n'auraient pas pu t'attendre une nuit ?

— J'avais des trucs à faire, comme enregistrer quelques pistes de guitare au studio. »

Elle me jette un coup d'œil sceptique.

« Mais vous êtes en tournée pour votre nouvel album. Qu'est-ce que tu peux bien enregistrer ?

— La version promo d'un de nos singles. »

Je frotte mon pouce contre mon index. Money-money.

« Histoire de toucher un peu plus.

— Dans ce cas, vous devriez enregistrer ensemble, non ?

— On ne fait plus comme ça, maintenant. Par-dessus le marché, j'avais une interview avec *Shuffle*.

— Une interview ? Toi seul, sans les autres ? Il y a quelque chose qui m'échappe. »

Je repense à la veille. À Vanessa LeGrande. Et les paroles de *Pont* me reviennent soudain. Mais je me dis que ce n'est peut-être pas une bonne idée d'en parler avec Mia Hall au-dessus des eaux sombres de l'East River. Enfin, au moins, on n'est plus le vendredi 13.

« Oui, c'est ainsi aujourd'hui, dis-je.

— Et pourquoi veut-on n'interviewer que toi ? Qu'est-ce que les journalistes veulent savoir ? »

Attention, question piège. Mais Mia est comme un chien de chasse. Elle a flairé une piste et elle n'abandonnera pas, sauf si je fais diversion en lâchant un bout de viande bien saignant pour la détourner des cadavres. Je choisis la diversion.

« C'est intéressant, en fait. La fille voulait que je lui parle de toi.

— *Quoi ?*

— Au cours de l'interview, elle m'a posé des questions sur toi. Sur nous. Sur le lycée. »

Je savoure l'expression stupéfaite de Mia. Elle m'a dit qu'elle avait l'impression d'avoir quitté l'Oregon depuis une éternité.

Ce n'est pas si vieux que ça, il faut croire.

Je poursuis :

« C'est la première fois que ça arrive. Curieuse coïncidence.

— Je ne crois plus beaucoup aux coïncidences.

— Elle avait mis la main sur un vieil album du lycée. Celui dans lequel il y a notre photo – tu sais, Geek et Groovy. »

Elle sourit.

« J'adorais ce surnom.

— Rassure-toi, je n'ai rien lâché. Et pour faire bonne mesure, j'ai réduit son enregistreur en bouillie. Histoire de détruire toutes les preuves.

— Pas *toutes* les preuves. La photo était l'œuvre de Kim et elle serait ravie de savoir qu'on peut retrouver son boulot dans un magazine national. Une fois qu'elle t'a eu dans son objectif, c'est pour toujours ! Ton geste de colère n'a servi à rien.

— Je sais. Cette journaliste m'a mis hors de moi. C'est une provocatrice et elle essayait de me faire péter les plombs avec ses insultes déguisées en compliments. »

Mia approuve de la tête.

« Je connais ça, moi aussi. C'est le pire ! Le genre : "Je suis fasciné par votre interprétation de Chostako-vitch, ce soir. Nettement plus retenue que celle de Bach." Traduction : Chostakovitch, c'était nul. »

J'imagine mal comment son interprétation de Chos-takovitch pourrait être nulle, mais au moins nous avons cette expérience en commun.

« Qu'est-ce qu'elle voulait savoir sur moi ? poursuit Mia.

— Elle veut écrire *le* papier sur ce qui fait courir Shooting Star. Alors, elle est allée fouiner du côté de Portland et elle a rencontré des gens qu'on avait connus au lycée. Et ils lui ont parlé de nous. De notre… enfin de toi, de ce qui est arrivé… »

Incapable de poursuivre, je baisse les yeux vers une péniche qui passe. À en juger par l'odeur, elle doit transporter des immondices.

« Et qu'est-ce qui est vraiment arrivé ? » interroge Mia.

Elle pose peut-être la question pour la forme, mais comme je n'en suis pas sûr, je me force à répondre sur le ton de la plaisanterie.

« C'est bien ce que je cherche encore à comprendre ! » dis-je avec un petit rire.

Mais je n'ai peut-être rien déclaré de plus sincère cette nuit.

« Mon manager m'avait prévenue que les jour-nalistes chercheraient peut-être des infos sur mon accident si l'on commençait à parler de moi, mais je n'aurais pas cru que mes relations avec toi puissent les intéresser. Enfin, au début, si, je m'attendais à ce qu'on exhume l'ex-petite amie de la rock star en farfouillant dans ton passé sentimental. Erreur. Par rapport à tes autres, euh… affections, je ne devais avoir aucun intérêt. »

Mia croit que si aucun fouille-merde n'est venu la harceler, c'est parce qu'elle n'est pas aussi intéressante que Bryn, dont elle connaît forcément l'existence. Si elle savait quel mal le premier cercle du groupe s'est donné pour éviter que son nom soit prononcé et que le couteau soit retourné dans la plaie ! Si elle savait qu'actuellement il existe des clauses dans les contrats d'interview qui interdisent aux journalistes d'aborder des tas de sujets dans le but de la tenir en dehors de tout ça, même si elle n'est pas citée nommément ! Afin de la protéger. De nous protéger, elle et moi.

« Au fond, le lycée est de l'histoire ancienne », conclut-elle.

De l'histoire ancienne, Mia ? Tu nous as vraiment déjà relégués dans les poubelles des amourettes lycéennes ? Et si oui, pourquoi je n'y arrive pas, moi ?

« En fait, dis-je sur un ton aussi léger que possible, toi et moi, la musique classique et le punk rock, c'est un morceau de choix pour les charognards. »

Elle pousse un soupir.

« Les charognards aussi ont le droit de se nourrir.

— C'est-à-dire ?

— Je n'ai pas particulièrement envie de voir l'histoire de ma famille livrée en pâture au public, mais si c'est le prix à payer pour faire ce que l'on aime, je suis prête à l'accepter. »

Nous y voilà de nouveau. L'idée que la musique permet de tout supporter. J'aimerais m'en persuader, mais malgré mes efforts, je n'y suis jamais parvenu. Ce n'est pas la *musique* qui me motive à me lever chaque matin.

« Et si ce n'est pas ce que l'on aime ? »

J'ai parlé dans un murmure et le bruit du vent et celui de la circulation ont couvert ma voix. Mais enfin je l'ai dit tout haut. C'est au moins ça.

J'ai envie d'une cigarette. Je m'appuie contre le parapet et contemple les trois ponts qui s'offrent à ma vue. Au moment où je fouille dans ma poche, à la recherche de mon briquet, Mia s'approche de moi et pose doucement sa main sur mon épaule.

« Tu devrais laisser tomber », déclare-t-elle.

Un instant, je crois qu'elle parle du groupe. Qu'elle a entendu ce que je viens de murmurer et qu'elle m'incite à quitter Shooting Star et toute l'industrie musicale. J'attends toujours que quelqu'un me le conseille. En vain. Et puis je me souviens qu'elle a déjà utilisé la même formule, juste avant de me demander une cigarette.

« Ce n'est pas si facile, dis-je.

— Quelle connerie ! »

Elle me rappelle sa mère, Kat, qui jurait comme un charretier et avait des convictions fermement ancrées.

« Ce qui est difficile, ce n'est pas de laisser tomber, mais de prendre la décision de le faire. Le reste va tout seul.

— Ah bon ? C'est comme ça que tu m'as laissé tomber ? »

C'est sorti d'un seul coup, spontanément.

« Il a fini par le dire, lance Mia comme si elle s'adressait à un public massé sous le pont.

— Il ne fallait pas ? Je devrais rester motus et bouche cousue sur le sujet pendant toute cette nuit ?

— Non, dit-elle doucement.

— Pourquoi es-tu partie ? C'était à cause des voix ?

— Non.

— Alors qu'est-ce qui n'allait pas ? »

C'est presque un cri de désespoir.

« Un certain nombre de choses. Par exemple, avec moi, tu ne pouvais pas être toi-même.

— Je ne comprends pas.

166

— Tu ne me parlais plus.

— Mais c'est absurde, Mia ! Je te parlais tout le temps.

— Tu disais des mots, mais tu ne me parlais pas. Des conversations avec un double langage, en quelque sorte. Il y avait d'un côté ce que tu voulais me dire et, de l'autre, les paroles que tu prononçais. »

Ces conversations, j'en ai beaucoup. Avec des tas de gens. Est-ce à ce moment-là qu'elles ont commencé ? Je hausse un peu le ton.

« Il faut dire que ce n'était pas facile de te parler. Chaque fois que je t'adressais la parole, ce n'était jamais ce qu'il fallait dire. »

Elle me regarde avec un sourire triste.

« Je sais. Le problème, ce n'était pas seulement toi. C'était toi plus moi. Nous. »

Je secoue la tête.

« Ce n'est pas vrai.

— Si. Ne culpabilise pas, tout le monde marchait sur des œufs avec moi. Mais ça faisait très mal que toi, tu ne puisses pas être vrai avec moi. Je veux dire : c'était au point que tu me touchais à peine. »

Comme pour appuyer sa déclaration, elle glisse deux doigts au creux de mon poignet. Si de la fumée s'élevait tandis que leur empreinte s'imprimait au fer rouge dans ma chair, je n'en serais pas autrement étonné. Je retire ma main, histoire d'adopter une contenance.

« Tu étais en convalescence. »

C'est la seule réponse que je trouve. Pathétique.

« Et si ma mémoire est bonne, Mia, quand on a essayé, tu as flippé.

— Une seule fois, Adam.

— Je voulais simplement t'aider. Que tu sois bien. J'aurais fait *n'importe quoi* pour ça. »

Elle baisse la tête.

« Je sais. Tu voulais me sortir de là.

— Bon sang ! Mia ! tu dis ça comme si c'était mal. »

Elle relève le menton et plante son regard dans le mien. Il y a toujours de la sympathie dans ses yeux, mais j'y lis maintenant quelque chose de farouche, qui m'inquiète.

« Tu étais si occupé à jouer les sauveurs avec moi que tu m'as laissée seule, rétorque-t-elle. Je sais que tu essayais de m'aider, mais à l'époque j'avais l'impression que tu me tenais à l'écart pour mon bien, ce qui me mettait encore plus en position de victime. Ernesto dit toujours qu'avec de bonnes intentions on peut enfermer les autres dans des boîtes aussi hermétiques qu'un cercueil.

— Ernesto ? Qu'est-ce qu'il en sait, lui ? »

Du bout de sa chaussure, Mia suit l'espace qui sépare deux planches du pont.

« Pas mal de choses, en fait. Ses parents sont morts quand il avait huit ans. Il a été élevé par ses grands-parents. »

Je sais que je devrais manifester de la compassion, mais la fureur est plus forte.

« Alors quoi, c'est une sorte de *club* ? Le club du chagrin dans lequel je ne peux entrer ? »

Je me tais avant que ma voix ne se brise.

Je m'attends à ce qu'elle réponde non. Ou qu'elle me dise que oui, j'en fais partie. Après tout, moi aussi j'ai subi la perte de ses parents et de son petit frère. Mais même à l'époque, c'était comme s'il y avait eu une barrière. On ne s'attend jamais qu'il existe une sorte de concurrence, quand il s'agit de deuil et de chagrin. Parce que malgré l'importance que Denny, Kat et Teddy avaient pour moi, ils n'étaient pas ma famille. Et cette distinction avait soudain compté.

Apparemment, c'est toujours le cas. Car Mia réfléchit à ma question.

« Peut-être pas un club du chagrin, dit-elle enfin, mais un club de la culpabilité. Parce qu'on reste derrière. »

Par pitié, qu'elle ne me parle pas de culpabilité ! Mon sang se glace. Je sens que je vais fondre en larmes sur ce pont. La seule façon d'éviter ça, c'est de faire appel à la rage qui m'a animé jusque-là. Je hurle :

« Au lieu de me larguer comme un coup d'un soir, tu aurais pu au moins avoir la décence de rompre proprement avec moi plutôt que de me laisser macérer dans mes interrogations pendant trois ans...

— Je ne l'ai pas prémédité, rétorque-t-elle. Quand je suis montée dans cet avion, je ne pensais pas à une séparation. Tu étais tout pour moi, tout. Je n'y croyais pas. Et pourtant si, c'était en train de se faire. Avec la distance, tout a été plus facile que je ne l'aurais cru. Cela a été un grand soulagement. »

Je pense à toutes les filles qu'il me tardait de voir disparaître de ma vue. Au soupir que je poussais une fois que je ne les voyais plus, que je ne les entendais plus, que je ne sentais plus leur odeur. Bryn tombe souvent dans cette catégorie.

Est-ce de cette façon que Mia a vécu mon absence ?

« J'avais l'intention de te le dire, poursuit-elle, mais au début, je ne savais plus où j'en étais. Ni ce qui se passait. Sauf que je me sentais mieux *sans toi*. Comment t'expliquer ça ? Et puis le temps a passé. Tu ne m'appelais pas et je me suis dit que toi, tu me comprenais. Je savais que j'étais une poule mouillée, mais... »

Les mots se bousculent sur ses lèvres. Elle reprend son souffle avant de poursuivre :

« J'ai pensé que j'avais le droit. Et que tu comprenais. C'est ce que j'ai cru en entendant ta chanson,

Roulette russe. Tu as écrit : "Tu choisis, dit-elle, c'est toi ou c'est moi. Elle reste debout, pas moi." Je me suis dit que tu étais furieux, mais que tu savais. Tu savais que mon choix, ce devait être *moi*.

— Tu n'as pas trouvé d'autre excuse pour m'avoir plaqué sans une explication ? Quelle cruauté et quel manque de courage ! C'est ça, la fille que tu es devenue, Mia ?

— C'est la fille que je devais être pendant un certain temps, peut-être. Je suis désolée. J'aurais dû t'appeler, t'expliquer. Mais tu étais presque inaccessible.

— Pas pour toi, voyons ! Deux coups de fil et tu aurais eu mes coordonnées.

— Je ne l'ai pas senti comme ça. Tu étais désormais un… »

Elle a le même geste que Vanessa LeGrande pour mimer une explosion.

« … Un phénomène, et non plus une personne.

— Voyons, c'est n'importe quoi, tu aurais dû le savoir. En plus, c'était *un an* après ton départ. Une année que j'avais passée roulé en boule chez mes parents. Tu avais oublié aussi leur numéro ?

— Non. Mais au début j'étais incapable de te téléphoner.

— Pourquoi ? »

Elle me fait face, maintenant. Le vent fouette ses cheveux, la transformant en une sorte de sorcière mystique, belle, forte et un peu inquiétante à la fois. Puis elle fait un signe évasif et se détourne.

Ah non ! On a franchi une partie du pont. Elle peut le faire sauter si elle veut, mais pas avant de m'avoir tout expliqué. Je l'attrape par le bras, l'oblige à me regarder.

Je hurle de nouveau.

« Pourquoi ? Pourquoi en étais-tu incapable ? Tu me dois une réponse, Mia ! »

Elle me regarde avec des yeux revolver. Vise. Puis appuie sur la détente.

« Parce que je te détestais. »

Pendant quelques instants, je n'entends plus rien, ni le bruit du vent, ni celui de la circulation, seulement une sorte de sifflement dans mes oreilles, comme après un concert, ou après que le tracé d'un moniteur cardiaque est devenu plat.

« Tu me détestais ? Mais pour quelle raison ?

— Tu as fait en sorte que je reste. »

Elle articule cette phrase d'un ton si calme que je ne suis pas tout à fait certain de l'avoir entendue. Mais elle la répète :

« Tu as fait en sorte que je reste. »

Et voilà. Je reçois le coup en plein cœur, confirmant ce que j'ai toujours su, d'une certaine manière.

Elle sait.

L'électricité de l'air a changé de nature. On pourrait presque percevoir la danse des ions.

« Tous les matins, en me réveillant, j'oublie brièvement que je n'ai plus ma famille, poursuit-elle. Et puis ça me revient. Est-ce que tu imagines la douleur ? Cela aurait été tellement plus facile si… »

Soudain, sa façade calme se fissure et elle fond en larmes.

Je lève les mains, impuissant.

« Je t'en prie, Mia, ne…

— Non, il faut me laisser parler, Adam. Tu vois, ç'aurait été plus facile de mourir. Ça ne veut pas dire que j'aimerais être morte aujourd'hui. Absolument pas. J'ai beaucoup de satisfactions dans ma vie. Mais c'était très dur, surtout au début. Et je ne pouvais pas m'empêcher de penser que tout aurait été plus simple si j'étais partie avec eux. Mais toi, tu… tu m'avais demandé de rester. Tu m'avais *suppliée* de rester. Tu t'étais penché sur moi et tu m'avais fait une promesse, aussi sacrée que n'importe quel vœu. Je comprends pourquoi tu es en colère, mais tu ne peux pas m'en vouloir. Tu ne peux pas me haïr de t'avoir cru sur parole. »

Elle pleure maintenant à gros sanglots et je suis honteux parce que c'est moi qui l'ai mise dans cet état.

Et brusquement, je comprends. Je comprends pourquoi elle m'a fait venir après le concert, pourquoi elle m'a rattrapé après mon départ de sa loge. C'est cela, le véritable motif de cette promenade : Mia achève la coupure qu'elle a entamée trois ans plus tôt.

Lâcher prise. Tout le monde a l'air de dire que c'est la chose la plus facile du monde. On déplie les doigts un par un jusqu'à ce que la main soit ouverte. Mais cela fait trois ans que je serre les poings et la mienne est verrouillée. Mon être tout entier est verrouillé. Et la catastrophe ne va pas tarder.

Je regarde l'East River. Jusqu'ici, le bras de mer était calme, mais on dirait soudain qu'il s'agite violemment et se transforme en tourbillon. C'est ce tourbillon qui menace de m'engloutir. Je vais m'y noyer, sans personne auprès de moi. Personne.

J'ai accusé Mia de tous les maux. De m'avoir quitté et laissé exsangue. Et peut-être que cette rupture a été le germe à partir duquel une tumeur a poussé et s'est épanouie. Mais pas plus. Car cette plante vénéneuse, c'est moi qui la cultive. Je l'arrose. Je la soigne. Je grignote ses baies empoisonnées. Je la laisse s'enrouler autour de mon cou et m'étouffer. J'ai fait ça tout seul. Je me suis fait ça tout seul.

En bas du pont, les vagues sont devenues énormes. Elles se précipitent vers moi et tentent de me faire basculer dans l'eau.

Je hurle :

« Je n'en peux plus ! »

Et je répète :

« Je n'en peux plus ! »

Je m'adresse non seulement aux vagues, mais aussi à Liz, à Fitzy, à Mike et à Aldous, aux gens du label, à Bryn, à Vanessa LeGrande, aux filles en sweat-shirt de l'université du Michigan, aux bobos du métro et à tous ceux qui veulent un morceau de moi alors que je suis déjà en pièces. Et surtout, je m'adresse à moi-même.

« Je n'en peux plus ! »

Je hurle plus fort que je l'ai jamais fait, si fort que je suis persuadé que mon souffle abat des arbres dans Manhattan. Et tandis que je bataille contre des vagues invisibles, des tourbillons imaginaires et des démons intérieurs, je sens ma poitrine s'ouvrir. C'est si intense que mon cœur semble prêt à exploser. Et je laisse faire. Je laisse sortir ce qui veut sortir.

Quand je lève les yeux, l'East River a repris son aspect habituel. Et mes mains, qui agrippaient le parapet avec tant de force que les phalanges étaient devenues blanches, ont relâché leur étreinte.

Mia s'éloigne vers l'autre extrémité du pont. Sans moi.

Oui, je comprends.

Je vais devoir tenir ma promesse. La laisser s'en aller. Pour de bon. Et lâcher prise, moi aussi.

Dix-sept

J'ai commencé à jouer dans mon premier groupe, Infinity 89, à l'âge de quatorze ans. Notre premier engagement, c'était pour animer une fête privée dans une maison proche du campus. J'étais à la guitare, mon ami Nate était à la basse et son frère aîné Jonah à la batterie. Mais franchement, nous n'étions pas à la hauteur. Aucun des trois n'avait d'expérience et on a découvert après la soirée que Jonah avait payé le garçon qui recevait pour qu'il nous laisse jouer. Il n'y a pas grand monde à savoir que si Jonah Hamilton n'avait pas donné un coup de pouce au destin, Adam Wilde n'aurait peut-être jamais fait ses débuts de rocker en public.

Nous étions si nerveux que nous avons réglé les amplis trop fort, produisant de tels effets larsen que les voisins se sont plaints. Du coup, nous avons surcompensé en jouant si bas que chacun avait du mal à entendre les autres instruments.

En revanche, pendant les pauses entre deux chansons, on pouvait entendre les bruits de la fête : le tintement des bouteilles de bière, les rires et les bavardages, et, ironie du sort, la télé que certains avaient branchée dans une autre pièce sur une émission du genre *La Nouvelle Star*. En clair, personne ne s'intéressait à notre musique parce qu'on était trop mauvais. On ne méritait ni applaudissements, ni huées. Juste l'indifférence. Et quand on a cessé de jouer, la fête a continué comme si de rien n'était.

Alors, on s'est améliorés. Sans devenir très bons pour autant. Jamais au point de sortir du cadre de l'animation de soirées privées, en tout cas. Puis Jonah est allé à l'université, et Nate et moi on s'est retrouvés sans batteur. *Exit* Infinity 89.

Ce fut pour moi le début d'une brève période en tant que chanteur-compositeur solitaire. Je jouais principalement dans des cafés. C'était un peu mieux que les soirées privées. Il n'était pas nécessaire de monter le son, puisqu'il n'y avait que moi et ma guitare, et dans l'ensemble, le public était respectueux. Mais je continuais à être distrait par les bruits environnants : le sifflement de la machine à café, les conversations des étudiants qui refaisaient le monde à mi-voix, les gloussements des filles. Quand j'avais terminé, les filles me rejoignaient pour bavarder avec moi, discuter de mon inspiration, m'offrir les mix qu'elles avaient enregistrés et aussi, quelquefois, m'offrir autre chose.

L'une d'elles était différente. Elle avait des bras noueux et un regard farouche. Ses premiers mots ont été :

« Tu es bourré…

— Pas du tout, ai-je coupé. Je suis sobre comme un chameau. »

Elle a haussé un sourcil orné d'un piercing.

« Tu ne m'as pas laissée terminer ma phrase, a-t-elle protesté. Tu es bourré… de talent. Je t'avais entendu jouer dans ton groupe calamiteux, mais tu étais vraiment bon, même pour quelqu'un d'aussi jeune.

— Merci.

— Je ne suis pas ici pour te flatter, mais pour te recruter.

— Désolé. Je suis un pacifiste. »

Elle a éclaté de rire.

« Très drôle. Mais comme on n'accepte pas les lesbiennes dans l'armée, je n'ai aucune qualification pour jouer à l'officier recruteur. Non, en fait, je monte un groupe et je viens te cueillir au berceau, si je puis dire. »

J'avais à peine seize ans et cette fille pêchue m'intimidait un peu. Je n'ai pas dit non.

« Il y a qui dans le groupe ?

— Moi à la batterie. Toi à la guitare.

— Personne d'autre ?

— C'est l'essentiel, non ? Les as de la batterie et les chanteurs-guitaristes top niveau ne courent pas les rues, même en Oregon. Ne t'inquiète pas, je remplirai les blancs. À propos, je m'appelle Liz. »

Elle m'a tendu une main calleuse, ce qui est bon signe chez une batteuse.

Un mois plus tard, Liz avait fait entrer Fitzy et Mike dans le groupe, baptisé alors Shooting Star, et nous avons commencé à écrire des chansons ensemble. Et quelques semaines après, nous décrochions notre premier engagement. C'était aussi une soirée privée, mais rien à voir avec celle des débuts d'Infinity 89. Dès mes premières notes de guitare, le silence s'est fait, comme si l'on avait éteint la lumière. Les gens nous ont écoutés. Jusqu'au bout. Entre les chansons, ils nous acclamaient, puis ils se taisaient, dans l'anticipation de la suivante. Par la suite, on a commencé à nous réclamer certains titres, et le public s'est mis à les apprendre par cœur et à chanter avec nous.

On n'a pas tardé à jouer dans des clubs plus importants. Je percevais encore parfois les bruits de fond du bar, mais j'ai bientôt entendu crier mon nom. « Adam ! » « Par ici ! » La plupart du temps, il s'agissait de voix de filles.

Je ne m'intéressais pas beaucoup à ces filles. J'étais obsédé par une autre, qui n'assistait jamais à nos concerts, mais que j'avais vue jouer du violoncelle à l'école. Mia. Quand elle était devenue ma petite amie, elle était venue m'écouter. Je ne dis pas qu'elle appréciait l'ambiance, mais notre musique lui plaisait. Et moi, j'espérais l'entendre crier mon nom, elle aussi, même si je savais qu'elle ne le ferait jamais. Elle avait tendance à rester en coulisses et à m'observer d'un air solennel. Même quand elle se lâchait assez pour assister au concert dans la salle, elle restait sur la réserve. Je continuais pourtant à guetter le son de sa voix. C'était déjà un plaisir en soi.

Au fur et à mesure que nous avons pris de l'importance, les cris et les encouragements sont devenus plus sonores. Et puis, pendant un moment, tout s'est tu. Plus de musique. Plus de groupe. Plus de fans. Plus de Mia.

Et quand tout a recommencé, les concerts, la musique, les foules, ce n'était plus pareil. Même au cours de la tournée de deux semaines qui a suivi la sortie de *Dommage collatéral*, j'ai senti la différence. Nous étions entourés d'un mur sonore, un peu comme si nous nous trouvions à l'intérieur d'une bulle formée par notre seul bruit. Et entre les chansons, il y avait ces cris hystériques. Ensuite, plus tôt que je ne l'aurais pensé, nous avons joué dans des stades et des salles gigantesques où se pressaient plus de quinze mille fans.

Dans ces endroits, il est impossible de distinguer une voix parmi les autres. Mis à part le vacarme de nos propres instruments qui sort des haut-parleurs les plus puissants, je n'entends qu'un hurlement montant de la foule au moment où nous sommes encore en coulisses et où les lumières s'éteignent avant notre entrée en scène. Ensuite, c'est un ensemble de cris incessants, pareil au mugissement d'une tornade. Parfois même, je crois percevoir le souffle qui sort de ces quinze mille bouches.

Je n'aime pas ce bruit-là. Sa nature monolithique me désoriente. Pendant un temps, nous avons troqué nos enceintes de retour contre des écouteurs. Cela bloquait les rugissements de la foule et le son était parfait, comme si l'on était en studio. Mais en un sens, c'était pire. Je me sens déjà suffisamment séparé du public par la taille de la scène et l'armée de vigiles qui ont pour mission d'empêcher les fans de bondir dessus pour nous toucher. Et puis, surtout, ça me gêne d'avoir autant de mal à distinguer une voix particulière parmi les autres. Peut-être suis-je toujours en train de prêter l'oreille à cette voix-là.

De temps en temps, néanmoins, tandis que l'un de nous s'interrompt pour boire un peu d'eau ou que Mike ou moi faisons une pause pour accorder nos guitares, il m'arrive de repérer une voix dans la foule, qui scande mon prénom, crie « Je t'aime ! » ou réclame un titre particulier.

Debout sur le pont de Brooklyn, je repense au bruit assourdissant de ces concerts. Car je n'entends plus dans ma tête qu'un hurlement muet, tandis que Mia s'éloigne et que je m'efforce de la laisser partir.

Mais il s'y mêle une petite voix qui s'efforce de se faire entendre par-dessus ce rugissement intérieur. Cette voix, c'est la mienne. Et elle pose une question : *Comment peut-elle savoir ?*

Dix-huit

Te sens-tu bien dans ton malheur ?
Vis-tu sans mal dans la désolation ?
C'est le dernier lien de nos cœurs
Ma seule source de consolation

« Cafard », *Dommage collatéral*, plage 6

Mia est partie.

Le pont ressemble à un bateau fantôme d'une autre époque, même s'il se remplit d'une population caractéristique du XXIe siècle, les joggers matinaux.

Et puis il y a moi, de nouveau seul.

Mais je suis encore debout. Je respire encore. En un certain sens, je vais bien.

Malgré tout, la question me taraude : *Comment peut-elle savoir ?* Car je n'ai jamais dit à personne ce que j'ai demandé à Mia. Ni aux infirmières. Ni aux grands-parents. Ni à Kim. Ni à elle-même. Alors, comment peut-elle savoir ?

Si tu restes, je ferai ce que tu voudras. Je quitterai le groupe pour t'accompagner à New York. Mais si tu préfères que je m'en aille, je le ferai aussi. Peut-être que ce serait trop douloureux pour toi de retrouver ta

vie d'avant, qu'il vaudrait mieux que tu nous rayes de
ton existence. Ce serait dur, mais je le ferais. Je peux
accepter de te perdre de cette façon si je ne te perds
pas aujourd'hui. Je te laisserai t'en aller. Si tu restes.

C'était mon vœu. Et cela a été mon secret. Mon fardeau. Ma honte. De lui avoir demandé de rester. Qu'elle ait écouté. Car après lui avoir fait cette promesse et lui avoir passé un morceau joué au violoncelle par Yo-Yo Ma, on pouvait penser qu'elle *avait* entendu. Elle avait pressé ma main et j'avais cru que tout allait se passer comme dans un film, mais cela s'était arrêté là et elle n'avait pas repris connaissance. Or, il se trouve que cette légère pression avait été son premier mouvement musculaire volontaire. Elle avait été suivie par d'autres, puis Mia avait battu des paupières et ouvert les yeux, brièvement au début, et de plus en plus longtemps par la suite. L'une des infirmières avait expliqué que son cerveau ressemblait à un oisillon qui tentait de sortir de sa coquille. Cette pression marquait le début d'un processus d'émergence qui avait pris plusieurs jours, jusqu'à ce que Mia se réveille et demande à boire.

Chaque fois qu'elle évoquait l'accident, Mia parlait de cette semaine-là comme d'une période floue, dont elle ne se rappelait rien. Et je n'avais pas l'intention de lui parler de ma promesse. Une promesse que j'étais finalement obligé de tenir.

Mais elle *savait*.

Pas étonnant qu'elle me déteste.

Bizarrement, je suis soulagé. Je n'en pouvais plus de traîner ce secret. Je suis las de m'en vouloir de lui avoir permis de vivre et de lui en vouloir de vivre sans moi, las de me sentir hypocrite.

Je reste un moment sur ce pont, lui laissant le temps de disparaître, puis je franchis la distance qui conduit à la rampe. J'ai vu de nombreux taxis passer en bas sur la chaussée et même si j'ignore où je me trouve, je vais bien en trouver un qui me ramènera à l'hôtel. Malheureusement, la rampe conduit à une esplanade piétonnière. J'arrête un jogger et je lui demande où sont les taxis. Il pointe du doigt des immeubles administratifs.

« En semaine, il y a généralement la queue, me dit-il, mais c'est peut-être différent le week-end. De toute façon, vous allez en trouver un quelque part. »

L'homme a la quarantaine. Il a ôté ses écouteurs pour me parler, mais j'entends la musique qui s'en échappe. Fugazi. Ce type court en écoutant du punk rock. La fin de *Smallpox Champion*. Puis *Wild Horses*, par les Rolling Stones. Et c'est comme un morceau de pain pour un estomac affamé, comme un feu de bois par une journée glacée. La musique sort des écouteurs et me fait un signe.

Le jogger me dévisage.

« Vous ne seriez pas Adam Wilde, de Shooting Star ? » interroge-t-il.

Le ton n'est pas celui d'un fan, juste celui d'un curieux.

Non sans difficulté, je m'arrache à l'écoute de la musique. « Si », dis-je.

Nous échangeons une poignée de main.

« Je ne veux pas être indiscret, déclare-t-il, mais que faites-vous à pied du côté de Brooklyn à six heures et demie un samedi matin ? Vous êtes perdu ?

— Non. Enfin, je ne le suis plus. »

La voix de Mick Jagger résonne toujours et je dois me retenir pour ne pas l'accompagner. Il fut un temps où je ne sortais jamais sans mes morceaux préférés. Et maintenant, je meurs d'envie de recommencer.

« Est-ce que je peux vous demander une faveur complètement dingue ? dis-je au jogger. J'aimerais emprunter votre iPod, juste pour la journée. Je vous le ferai rapporter, promis. »

Il éclate de rire.

« Aucun problème.

— Donnez-moi votre nom et votre adresse.

— Déposez-le au Southside Café sur la 6ᵉ Avenue à Brooklyn, car mon Interphone ne marche pas. J'y vais tous les matins. Demandez Nick.

— Nick. Southside Café. 6ᵉ Avenue. Brooklyn. Je n'oublierai pas. »

Il me tend l'appareil.

« Je crains que vous ne trouviez pas Shooting Star dessus.

— Ce n'est pas plus mal, dis-je.

— La batterie était chargée quand je suis parti, donc vous en avez au moins pour… une heure. Eh oui, ajoute-t-il avec un petit gloussement, ce machin est un dinosaure ! »

Sur ces mots, il s'éloigne en me faisant un signe de la main sans se retourner.

Je me branche à l'iPod. C'est effectivement un vieux modèle, plutôt fatigué, et je prends note de lui en offrir un neuf en lui rendant celui-ci. Je parcours son stock de musique. Ça va de Charlie Parker à Yo La Tengo en passant par Minutemen. Parmi les playlists, je choisis celle intitulée Bonnes Chansons. Et quand démarre le riff au piano au début de *Challengers*, par les New Pornographers, je sais que je suis bien tombé. Il y a ensuite de l'Andrew Bird, puis un supertitre de Billy Bragg & Wilco que je n'ai pas entendu depuis des années, et enfin le *Chicago* de Sufjan Stevens, que j'adorais, mais que j'ai cessé d'écouter parce que ça me remuait trop. Mais maintenant, c'est un bain apaisant qui m'aide à calmer la démangeaison de ces questions sans réponse avec lesquelles je dois cesser de me faire souffrir.

Je monte le volume à fond, ce qui, ajouté au vacarme de Brooklyn en train de se réveiller, me déchire les oreilles, pourtant habituées à des niveaux sonores élevés. C'est pourquoi je manque ne pas entendre la voix qui m'appelle par-dessus ce fracas. Sa voix.

« Adam ! »

Sur le moment, je n'y crois pas. J'éteins l'iPod et je regarde autour de moi. Et je la vois, en face de moi maintenant, le visage ruisselant de larmes. Qui répète mon prénom.

Je l'ai laissée partir. Pour de bon. Et pourtant elle est là.

« J'ai cru que je t'avais perdu. Je suis revenue sur mes pas et je t'ai cherché sur le pont, mais je ne t'ai pas vu. J'ai pensé que tu repartirais vers Manhattan et que je pouvais te rattraper en prenant un taxi et en t'attendant de l'autre côté. Je sais que c'est égoïste. J'ai entendu ce que tu as dit sur le pont, mais on ne peut s'arrêter là. *Je* ne peux m'arrêter là. On doit se dire au revoir d'une autre manière…

— Mia ? »

Elle s'interrompt aussitôt, sensible au ton à la fois interrogateur et caressant que j'ai pris.

« Mia, comment as-tu su ? »

La question arrive comme un cheveu sur la soupe, mais elle paraît comprendre à quoi je fais allusion.

« Oh ! répond-elle. C'est compliqué. »

Je commence à m'éloigner d'elle. Je n'ai pas le droit de la questionner et elle n'a pas d'explications à me donner.

« C'est OK, Mia. Ça va, maintenant.

— Non, Adam, attends ! »

Je m'immobilise.

« Adam, je vais tout te dire. J'ai *besoin* de tout te dire. Mais j'ai aussi besoin d'un café pour avoir l'énergie de le faire. Viens. »

Elle me conduit vers une zone historique. Dans une rue pavée, nous arrivons devant une boulangerie qui semble fermée, avec ses vitrines obscurcies et sa porte close. Mia frappe et un homme barbu aux cheveux en broussaille couverts de farine ouvre. Il lui lance en français un bonjour sonore et l'embrasse sur les deux joues. Mia fait les présentations. Le boulanger s'appelle Hassan. Il disparaît dans les entrailles de la boulangerie en laissant la porte ouverte, de sorte qu'un arôme de beurre et de vanille se répand dans l'atmosphère. Puis il réapparaît, portant deux grands gobelets de café et un sac en papier. Mia me tend mon gobelet et quand je l'ouvre, je constate avec plaisir qu'il est noir et brûlant comme je l'aime.

C'est le matin, maintenant. Nous trouvons un banc sur la Brooklyn Heights Promenade, un autre des endroits favoris de Mia à New York, comme elle me le confie. C'est sur l'East River et Manhattan est proche à le toucher. Nous sirotons tranquillement notre café en mangeant les croissants d'Hassan encore tout chauds. Et c'est un moment si doux, si semblable à ce que nous avons connu autrefois que j'aimerais arrêter le temps. Sauf que je n'ai pas d'horloge magique et que des questions attendent une réponse. Pourtant, Mia ne semble pas pressée. Elle contemple la ville en savourant son petit déjeuner.

Lorsqu'elle a vidé son gobelet, elle se tourne vers moi.

« Quand j'ai dit que je n'avais aucun souvenir de l'accident et de ce qui s'est passé après, je ne mentais pas, Adam. Mais par la suite, j'ai commencé à recouvrer la mémoire. Ou plutôt, quand on me donnait certains détails, ils me semblaient très familiers. J'ai pensé que c'était parce que j'avais entendu ces histoires cent fois, mais ce n'était pas le cas. Un an et demi plus tard, j'en étais à mon septième ou huitième psychothérapeute.

— Donc tu fais une psychothérapie ? »

Elle me jette un regard en coin.

« Bien sûr. J'ai usé pas mal de psys. Tous me disaient la même chose.

— Quoi ?

— Que j'étais *en colère*. *En colère* parce que l'accident était arrivé. *En colère* parce que j'étais l'unique survivante. *En colère* contre toi. »

Elle m'adresse une petite grimace d'excuses, puis reprend :

« Tout cela était compréhensible, sauf en ce qui te concernait. Pourquoi aurais-je été furieuse après toi ? Bien sûr, il y avait des raisons objectives. Tu t'étais éloigné de moi. L'accident nous avait changés. Mais cela ne justifiait pas la rage *folle* que j'ai soudain éprouvée après être partie. Il faut croire que, d'une manière ou d'une autre, j'ai su depuis le début, longtemps avant que je ne me le rappelle consciemment, que tu m'avais demandé de rester. Ça te paraît tenir debout ? »

Oui. Non. Je ne sais pas.

« Rien de tout cela ne tient vraiment debout, dis-je.

— Je sais. Donc, j'étais en colère contre toi. J'ignorais pour quelle raison. J'en voulais au monde entier et là, je savais pourquoi. Je détestais tous mes psys parce qu'ils ne servaient à rien, sauf à me dire que j'étais une boule de rage autodestructrice. Jusqu'à ce que j'aille voir Nancy, mes profs de Juilliard m'aidaient plus qu'eux. Je savais bien que j'étais en colère, ce que j'attendais c'était de savoir que faire de cette rage. Et puis Ernesto m'a proposé d'essayer l'hypnothérapie. »

Mia me donne un petit coup de coude dans les côtes avant d'ajouter :

« Il avait réussi à s'arrêter de fumer grâce à cette méthode. »

J'aurais dû m'en douter. Non seulement Mr Perfect ne fume pas, mais encore c'est lui qui a aidé Mia à mettre au jour la raison de sa colère envers moi.

« C'était assez risqué, poursuit-elle. L'hypnose a tendance à révéler des souvenirs enfouis. Quand certains traumatismes sont trop douloureux, ils sont refoulés et il faut utiliser une autre méthode pour y avoir accès. J'ai donc essayé, mais sans conviction. Et j'ai été plutôt surprise. Pas d'amulettes ou de pendule. Cela ressemblait plus aux exercices de visualisation qu'on nous faisait faire en camp de vacances. Au début, il ne s'est rien passé, l'été est arrivé et je suis partie dans le Vermont.

« Quelques semaines plus tard, j'ai commencé à avoir des flashes. Par exemple, je me souvenais d'une intervention, de la musique qu'écoutaient les chirurgiens dans la salle d'opération. J'ai failli leur téléphoner pour leur demander si je ne me trompais pas, mais ils devaient avoir oublié, car trop de temps s'était écoulé depuis. Et puis, au fond, cela ne me paraissait pas nécessaire. Mon père me disait toujours qu'à ma naissance il avait eu l'impression de me connaître depuis toujours, ce qui était drôle puisque je ne ressemblais ni à lui, ni à ma mère. Eh bien, quand mes premiers souvenirs sont revenus, j'ai su avec la même certitude qu'ils m'appartenaient vraiment. C'est au moment où je travaillais sur un prélude de Gershwin, *Andante con moto e poco rubato*, qu'ils se sont enfin enchaînés – en fait, un grand nombre de souvenirs me reviennent apparemment quand je joue. »

J'ouvre la bouche pour parler, mais aucun son n'en sort. Puis je fais un énorme effort et je parviens à articuler :

« C'est le morceau que je t'ai fait écouter, dis-je.

— Je sais. »

Elle ne semble pas surprise.

Je me penche en avant, la tête entre les genoux, et je respire un grand coup. Puis je sens la main de Mia qui se pose délicatement sur ma nuque.

« Adam ? dit-elle d'un ton hésitant. Il y a autre chose. Et là, ça fait un peu peur. Que mon esprit ait enregistré ce qui se passait autour de moi pendant que je gisais inconsciente, cela n'a rien d'anormal, mais il y a des souvenirs que…

— Quel genre de souvenirs ? »

Ma voix n'est qu'un murmure.

« Tout est dans une espèce de brouillard, mais je me rappelle avec netteté certaines choses dont je ne pouvais avoir connaissance, car je n'étais pas présente. L'une d'elles te concerne. Il fait sombre à l'extérieur de l'hôpital et tu te tiens sous les lampadaires, en attendant d'entrer pour me rendre visite. Tu portes ta veste en cuir et tu lèves les yeux. Comme si tu cherchais à m'apercevoir. Est-ce que tu as fait ça ? »

Elle prend mon visage entre ses mains, cherchant la confirmation que cette scène était bien réelle. J'ai envie de lui dire que c'est exact, mais je suis incapable de prononcer un mot. Apparemment, mon expression suffit, car elle approuve d'un petit signe de tête.

« Comment pouvais-je savoir ça, Adam ? » interroge-t-elle.

Je ne sais si elle pose la question en l'air ou si elle croit vraiment que je peux résoudre cette énigme métaphysique. De toute façon, je ne suis pas en état de répondre, car les larmes coulent sur mes joues. Je ne m'en rends compte que lorsque je sens leur goût salé sur mes lèvres. J'ai oublié quand j'ai pleuré pour la dernière fois, mais, passé le premier moment de honte, les vannes s'ouvrent et je sanglote devant Mia. Devant le monde entier.

Dix-neuf

La première fois où j'ai vu Mia Hall, c'était il y a six ans. Dans notre lycée, les matières artistiques étaient au programme et si l'on choisissait la musique, on pouvait soit suivre des cours, soit travailler individuellement dans des studios. Elle et moi avions pris la seconde option.

Je l'avais déjà vue une ou deux fois en train de jouer du violoncelle, mais cela ne m'avait pas marqué. Quoique très mignonne, elle n'était pas vraiment mon genre. C'était une musicienne classique et moi, j'étais un rocker. L'eau et le feu, quoi.

Il a fallu que je la voie pendant qu'elle *ne jouait pas* pour que je la remarque. Elle était dans l'un des box insonorisés, son violoncelle appuyé contre les genoux. Immobile, les yeux clos, le front légèrement plissé, elle tenait l'archet à quelques centimètres au-dessus du chevalet, comme étrangère à son corps. Mais je savais qu'elle était en train d'écouter de la musique, de récolter des notes dans le silence, tel un écureuil qui amasse des provisions pour l'hiver. Alors je suis resté là, soudain scotché, jusqu'à ce qu'elle semble s'éveiller et se remette à jouer avec une intense concentration. Quand elle a fini par lever les yeux vers moi, je me suis éclipsé.

Par la suite, j'ai été en quelque sorte fasciné par elle et par cette évidente capacité à entendre de la musique dans le silence. J'aurais aimé pouvoir faire la même chose, à l'époque. J'ai donc pris l'habitude de la regarder jouer pour essayer de comprendre ce qu'elle percevait de cette manière.

Je n'ai pas trouvé la réponse pendant la période où nous sommes restés ensemble. Mais à ce moment-là, je n'en avais pas besoin. Nous étions tous deux fous de musique, chacun à sa façon. Et si l'obsession de l'un échappait un peu à l'autre, cela n'avait pas d'importance.

Je sais à quel moment précis Mia fait allusion. Kim et moi étions arrivés à l'hôpital dans la Dodge Dart rose de Sarah. Je ne me souviens pas d'avoir demandé à la compagne de Liz de me prêter sa voiture. Je ne me souviens pas non plus d'avoir pris le volant et d'avoir conduit jusque dans la zone vallonnée où se trouve l'hôpital. J'ignore même si je connaissais le chemin. Je me rappelle simplement que j'étais dans une salle de spectacle de Portland, en train de vérifier la sono pour le concert de la soirée, lorsque Kim était arrivée et m'avait appris l'horrible nouvelle. Ensuite, je me revois devant l'hôpital. Entre les deux, rien. Un grand blanc.

Ce dont Mia se souvient de manière inexplicable, c'est du seul moment de clarté dans le brouillard entre le moment où j'ai appris la nouvelle et mon arrivée à l'hôpital. Kim et moi venions de garer la voiture et j'étais sorti du parking avant elle. Je m'étais arrêté quelques instants pour rassembler mes forces avant d'affronter le drame. J'ai levé les yeux vers la masse imposante du bâtiment en me demandant si Mia se trouvait quelque part à l'intérieur, terrifié à l'idée qu'elle ait pu mourir pendant que Kim était venue me chercher. J'ai alors éprouvé, comment dire, non pas de l'espoir, ni du soulagement, mais la certitude qu'elle était encore là. Et cela a suffi à me donner le courage d'entrer.

On dit qu'il y a une raison à tout, mais je n'en suis pas persuadé. Je crois que je ne comprendrai jamais pour quelle raison Kat, Denny et Teddy sont morts ce jour-là.

Il m'a fallu un temps fou pour parvenir jusqu'à Mia. Les infirmières m'ont refusé l'accès au service des soins intensifs où elle se trouvait et Kim et moi avons dû mettre au point un plan pour nous glisser à l'intérieur. Je l'ignorais à l'époque, mais curieusement, j'essayais sans doute de gagner du temps. Je ne voulais pas m'effondrer devant Mia. D'une certaine manière, j'avais l'intuition que du fond de son coma, elle saurait ce qui se passait.

Bien sûr, je me suis quand même effondré devant elle. Quand je l'ai découverte, j'ai été atterré. Sa peau ressemblait à du parchemin. Elle avait du sparadrap sur les yeux et des tubes partout, certains lui injectant du sang et divers fluides, d'autres extrayant de son corps je ne sais quelle abomination. J'ai honte, mais j'avoue que ma première réaction a été de vouloir fuir.

Il n'en était pourtant pas question. Alors, je me suis concentré sur ce qui était encore vaguement reconnaissable, malgré les capteurs qu'elle avait sur les doigts : ses mains. J'ai touché le bout des doigts de sa main gauche, dont le contact évoquait le cuir vieilli, et j'ai caressé ses deux pouces. Elle avait les mains glacées, comme d'habitude, et je les ai réchauffées, comme d'habitude aussi.

Et tout en réchauffant ses mains, je me suis dit qu'elle avait de la chance qu'elles soient intactes. Car ses mains, c'était la musique, et sans musique, il ne lui serait rien resté. J'ai pensé alors qu'elle devait s'en rendre compte, elle aussi. Qu'il fallait lui rappeler qu'elle devait revenir, pour la musique. Je me suis précipité hors des soins intensifs, malgré ma crainte de ne plus la revoir vivante. À mon retour, je lui ai fait écouter le morceau interprété par Yo-Yo Ma.

Et c'est à ce moment-là que je lui ai fait ma promesse. La promesse qu'elle vient de me rappeler. Je sais maintenant que j'ai eu raison de la faire. Je le sais sans doute depuis le début, mais j'étais trop furieux pour l'admettre. Et si elle est en colère, c'est OK. Si elle me déteste, je l'accepte aussi. C'était égoïste, ce que je lui ai demandé, même si au bout du compte cela s'est révélé l'acte le plus altruiste de ma vie. L'acte le plus altruiste que je dois *continuer* à accomplir.

Et je continuerai. J'en suis sûr désormais. Quitte à la reperdre mille fois, je referais mille fois cette promesse pour l'entendre jouer comme hier soir ou pour l'avoir en face de moi dans le soleil du matin. Ou même simplement pour savoir qu'elle existe quelque part. Vivante.

Mia me regarde lâcher les grandes eaux sur cette promenade. Je me fissure et ça sort à gros bouillons.

Elle doit penser que c'est le chagrin qui jaillit ainsi.

Mais non. Je ne pleure pas de chagrin. Je pleure de gratitude.

Vingt

Qu'on m'éveille quand ce sera terminé
Quand le calme du soir se fera là-haut
Qu'on me pose sur un lit de trèfle violet
J'ai tant besoin d'alléger ce fardeau

« Chut ! », *Dommage collatéral*, plage 13

Quand je parviens enfin à me ressaisir, j'ai l'impression d'être une poupée de chiffon. Mes paupières sont lourdes. Je viens d'avaler un plein gobelet de café méga-fort, et c'est exactement comme s'il avait été bourré de somnifères. Je pourrais m'endormir *illico* sur ce banc.

Je me tourne vers Mia et je lui dis que j'ai besoin de dormir.

« Je n'habite pas loin d'ici, répond-elle. Tu pourras roupiller un peu. »

Je me sens vidé, comme lorsque, petit garçon, j'avais pleuré toutes les larmes de mon corps et que ma mère me bordait dans mon lit. Je me représente Mia en train de faire la même chose.

La ville est maintenant bien éveillée et les gens vaquent à leurs occupations. Au fur et à mesure que nous marchons, la paisible zone résidentielle laisse la place à un quartier commerçant, plein de boutiques et de cafés fréquentés par des bobos. On me reconnaît, mais je ne cherche plus à me dissimuler. Ni casquette, ni lunettes noires. Mia zigzague parmi la foule de plus en plus dense, puis tourne dans une rue plantée d'arbres. Elle s'arrête devant une petite maison de briques rouges.

« Voilà le palace, lance-t-elle. Un violoniste qui joue maintenant dans le Philharmonique de Vienne me le sous-loue. Je vis ici depuis neuf mois. Un record ! »

Je la suis dans la maisonnette la plus compacte que j'aie jamais vue. Le rez-de-chaussée comprend une cuisine et un séjour, avec une baie coulissante qui donne sur un jardinet. Il y a un canapé d'angle blanc, et elle me fait signe de m'allonger dessus. J'envoie balader mes chaussures et je m'effondre sur les coussins moelleux. Mia me soulève la nuque pour glisser un oreiller sous ma tête. Puis elle me recouvre d'une couverture et me borde, exactement comme je l'avais espéré.

Je m'attends à l'entendre monter l'escalier jusqu'à ce que je suppose être la chambre. Au lieu de quoi, je perçois un mouvement dans l'autre partie du canapé. Mia est en train de s'installer dessus. Ses pieds ne sont qu'à quelques centimètres des miens. Puis elle pousse un long soupir et sa respiration se fait régulière. Elle dort. Quelques minutes plus tard, j'en fais autant.

Quand je m'éveille, l'appartement est baigné de lumière et je me sens si reposé que je suis certain d'avoir dormi dix heures et raté mon avion. Mais un bref coup d'œil à la pendule de la cuisine me rassure. Il est à peine deux heures de l'après-midi et l'on est toujours samedi. Et je ne dois retrouver Aldous à l'aéroport qu'à dix-sept heures.

Mia dort encore. Elle respire profondément et c'est tout juste si elle ne ronfle pas. Je l'observe quelque temps. C'est un spectacle paisible et familier. Même avant de devenir insomniaque, j'ai toujours eu du mal à m'endormir, tandis que Mia sombrait dans le sommeil après avoir lu quelques minutes. Une mèche de cheveux lui tombe sur le nez et se soulève à chaque expiration. Sans réfléchir, je me penche vers elle et repousse la mèche. Mes doigts effleurent accidentellement ses lèvres et tout cela est tellement naturel, comme si trois ans n'avaient pas passé, que je suis presque tenté de caresser ses joues, son front, son menton.

Presque. Car j'ai l'impression de voir Mia à travers un prisme. Elle est toujours la jeune fille que j'ai connue, mais quelque chose a changé et maintenant, si je la touchais pendant qu'elle dort, il me semble que cela n'aurait rien de charmant et de romantique. J'aurais plutôt l'air du type qui en profite.

Je me lève et je m'étire. Incapable de me résoudre à la réveiller, je fais le tour de sa maison. J'étais tellement dans le coaltar quand on est arrivés que je n'ai pratiquement rien vu autour de moi. C'est bizarre, mais l'endroit ressemble à la maison dans laquelle Mia a grandi. On retrouve le même méli-mélo d'images au mur – une affiche en velours d'Elvis Presley, un poster de 1955 annonçant la finale de base-ball entre les Brooklyn Dodgers et les New York Yankees – et les mêmes touches décoratives, comme les guirlandes lumineuses en forme de piments qui ornent l'encadrement des portes.

Et puis les photos. Il y en a partout. Elles couvrent intégralement les murs, les étagères. Des centaines de photos de sa famille, y compris, apparemment, celles qu'il y avait chez elle autrefois. Kat et Denny le jour de leur mariage. Denny en veste de cuir portant dans ses bras Mia, alors un tout petit bébé. Mia à huit ans, tenant son violoncelle, l'air radieux. Kat et Mia penchées sur un nouveau-né au visage rouge : Teddy, à peine âgé de quelques heures. Je découvre aussi le cliché où l'on voit Mia qui fait la lecture à Teddy, celui que j'étais incapable de regarder chez ses grands-parents, car il me déchirait le cœur, mais ici, chez Mia, cela me fait moins mal.

Je gagne la petite cuisine et là, je trouve une véritable galerie de photos représentant les grands-parents de Mia devant une série de fosses d'orchestre, et d'autres sur lesquelles figurent ses oncles, ses tantes et ses cousins en randonnée dans les montagnes de l'Oregon ou en train de lever une chope de bière. S'y ajoute une ribambelle de clichés d'Henry, de Willow et de Trixie et d'un petit garçon qui doit être Theo. Il y en a aussi de Kim et Mia au lycée, et deux autres où elles posent au sommet de l'Empire State Building, ce qui me rappelle que toute une partie de leur relation m'a échappé. Sur un autre encore, on voit Kim revêtue d'un gilet de sauvetage, les cheveux volant dans le vent.

Et puis des photos de musiciens en habit, tenant une flûte de champagne. Celle d'un homme au regard vif et aux épaisses boucles folles, un bâton de chef d'orchestre à la main. Une autre du même en train de diriger une équipe de gamins à l'air grincheux. Et lui à nouveau, à côté d'une belle femme noire, en train d'embrasser un gamin ravi. Ernesto, sans doute.

Je m'aventure dans le jardin pour fumer la cigarette que j'allume habituellement à mon réveil. Je fouille dans mes poches, mais elles ne contiennent que mon portefeuille, mes lunettes noires, l'iPod que j'ai emprunté et l'assortiment de médiators de guitare que je trimballe partout. Je me souviens alors que j'ai dû laisser mon paquet sur le pont. Donc, plus de cigarettes. Plus de médicaments. Ce doit être le bon jour pour décrocher des mauvaises habitudes.

Je rentre dans la maison et fais à nouveau un tour du rez-de-chaussée. Je ne m'attendais pas à ce décor. D'après ce que m'a dit Mia, j'imaginais un endroit plein de cartons, impersonnel et aseptisé. Et malgré ses déclarations sur les esprits, je n'aurais pas pensé qu'elle s'entourerait d'autant de fantômes.

Sauf qu'il manque le mien. On ne me voit nulle part, alors que Kat m'incluait souvent dans leurs photos de famille. Elle avait même accroché une photo encadrée de Mia, Teddy et moi dans nos déguisements d'Halloween au-dessus de la vieille cheminée de leur séjour, une place d'honneur chez les Hall. Ici, rien. Je ne vois aucun des clichés idiots qu'on s'amusait à prendre l'un de l'autre, ni qu'elle ou moi prenions de nous deux en train de nous embrasser, en tenant l'appareil à bout de bras. Je les adorais. Ils capturaient un élément de vérité, même si, généralement, la moitié d'une tête était coupée, ou si un doigt entrait dans le champ.

Cela ne me vexe pas. Cette nuit, je l'aurais mal pris, mais maintenant, je comprends. La place que j'occupais dans la vie et dans le cœur de Mia a été irrévocablement modifiée à l'hôpital, un certain jour, il y a trois ans et demi.

Bryn dit que je n'ai jamais mis un point final à mon histoire avec Mia. Et j'ai une réponse toute prête : ce point final, dis-je, plus de cinq millions de personnes l'ont acheté et écouté.

Mais là, dans le calme de cette maison où j'entends pépier les oiseaux au-dehors, je commence à comprendre ce que signifie mettre un point final à une histoire. Rien à voir avec un spectaculaire « avant-après ». Non, cela s'apparente plutôt à la mélancolie qu'on éprouve à la fin des vacances. Quelque chose de particulier se termine et l'on se sent triste, mais cette tristesse ne peut être que légère parce que ce quelque chose a été une période de bonheur. Et il y aura d'autres vacances, d'autres bons moments. Mais ce ne sera pas avec Mia. Ni avec Bryn, d'ailleurs.

Je jette un coup d'œil à l'horloge. Je dois regagner Manhattan, faire ma valise, répondre aux e-mails urgents parmi tous ceux qui se sont sans aucun doute accumulés, veiller à ce que l'hôtel envoie quelqu'un rapporter l'iPod du gentil jogger au Southside Café avec un autre, tout neuf, puis filer à l'aéroport. Mais avant de sauter dans un taxi, il va falloir que je réveille Mia et que je lui dise au revoir.

Je décide de faire du café. Autrefois, l'odeur seule suffisait à lui faire ouvrir l'œil. Quand je dormais chez elle, je me levais souvent tôt le matin pour aller bavarder avec Teddy. Et quand je l'avais laissée dormir jusqu'à une heure décente, j'apportais la cafetière dans sa chambre et je la promenais jusqu'à ce qu'elle lève la tête, les yeux encore embrumés de sommeil.

Dans la cuisine, je retrouve chaque chose d'instinct, comme si j'étais chez moi et que j'y avais préparé des milliers de cafés. La cafetière est dans le placard au-dessus de l'évier, la boîte contenant le café dans la contre-porte du réfrigérateur. Je dépose la poudre noire dans le réservoir, verse l'eau, et place l'appareil sur la cuisinière. Un sifflement s'élève et un riche arôme se répand. Pour un peu, je le verrais, comme dans un dessin animé, flotter jusqu'à Mia et la tirer de son sommeil.

Et ça ne rate pas. La voilà qui s'étire sur le canapé, en inspirant selon son habitude une grande goulée d'air. Quand elle me découvre dans sa cuisine, elle semble un moment désorientée. Je ne sais si c'est à cause de ma présence chez elle ou de mon comportement de maîtresse de maison. Et puis ce qu'elle m'a dit à propos du sentiment de perte qu'elle éprouve chaque jour à son réveil me revient en mémoire.

« Tu te rappelles à nouveau tout ce qui est arrivé ? »

J'ai posé la question à haute voix. Parce que je veux savoir et parce qu'elle m'a demandé de le faire.

« Non, pas ce matin, répond-elle en bâillant et en s'étirant encore. Je crois que j'ai rêvé. Et puis j'ai senti une odeur de café.

— Désolé. »

Elle rejette sa couverture avec un sourire.

« Tu crois vraiment que si tu ne fais pas allusion à ma famille je vais les oublier ?

— Non, évidemment. »

Elle montre les photos d'un geste de la main.

« Comme tu peux voir, je n'essaie pas d'oublier.

— Je les ai regardées. C'est une impressionnante galerie de portraits. Tout le monde est là.

— Ils me tiennent compagnie. »

Un jour, les enfants de Mia seront aussi dans des cadres, créant pour elle une nouvelle famille dont je ne ferai pas partie.

« Ce ne sont que des photos, je sais bien, poursuit-elle. Mais certains matins, elles m'aident à me lever. Elles, et le café. »

Le café ! Je vais dans la cuisine et ouvre le placard où je sais que les tasses doivent être rangées. Étonné, je découvre que ce sont les mêmes mugs des années 1950 et 1960 dont je me suis servi si souvent. Visiblement, Mia les a trimballés partout avec elle. Je cherche mon préféré, celui avec la ronde des cafetières dessinée dessus et cela me fait un plaisir fou de voir qu'il est là. C'est un peu comme si j'avais ma photo accrochée au mur. Une petite partie de moi existe encore.

Je me verse du café et prépare un crème pour Mia.

« J'aime les photos, dis-je. Ça entretient l'intérêt. »

Elle approuve de la tête, souffle sur sa tasse.

Puis j'ajoute :

« À moi aussi, ils me manquent. Chaque jour. »

Ma déclaration semble la surprendre. Non pas le fait que sa famille me manque, mais le fait que je finisse par l'admettre.

« Je sais », dit-elle.

Elle se lève et marche tout autour de la pièce en passant le doigt sur les photos encadrées.

« Je n'ai plus de place, constate-t-elle. J'ai dû mettre des photos récentes de Kim dans la salle de bains. À propos, tu lui as parlé, ces temps-ci ? »

Elle doit savoir ce que j'ai fait à Kim.

« Non.

— Vraiment ? Alors, tu n'es pas au courant du scandale ? »

Je hoche négativement la tête.

« Elle a quitté la fac l'an dernier, reprend-elle. Quand le conflit s'est embrasé en Afghanistan, Kim a décidé qu'elle voulait être photographe et que le meilleur apprentissage se faisait sur le terrain. Alors elle a pris ses appareils sous le bras et elle est partie là-bas. Elle a commencé à vendre ses photos à l'Associated Press et au *New York Times*. Elle se balade en burqa et cache tout son attirail dessous.

— Je suppose que Mrs Schein adore ! »

Tout le monde savait que la mère de Kim la surprotégeait. La dernière fois que j'avais eu de ses nouvelles, elle flippait à l'idée que Kim aille étudier à l'autre bout des États-Unis. Ce qui, d'après Kim, était justement le but recherché.

Mia éclate de rire.

« Au début, Kim a raconté qu'elle arrêtait ses études juste quelques mois, mais comme elle a beaucoup de succès, elle a officiellement quitté la fac. Et Mrs Schein a fait officiellement une dépression nerveuse. Sans compter que Kim est une jeune femme juive dans un pays très musulman. D'un autre côté, ses photos paraissent dans le *New York Times* et elle vient de signer avec *National Geographic*, ce qui donne à sa mère des raisons de se vanter à droite, à gauche.

— On ne peut lui en vouloir.

— Tu sais qu'elle est fan de Shooting Star ?

— Mrs Schein ? Je la classais dans la catégorie hip-hop. »

Mia sourit.

« Mais non, voyons, *Kim*. Elle est très death metal. Hardcore. Elle a assisté à l'un de vos concerts. À Bangkok. Il paraît qu'il tombait des cordes et que ça ne vous a pas empêchés de jouer.

— Elle était là ? Pourquoi n'est-elle pas venue me voir en coulisses ? »

Je pose la question, mais je connais la réponse. N'empêche qu'elle est venue. Elle avait dû me pardonner plus ou moins.

« C'est bien ce que je lui ai dit. Mais elle a dû repartir tout de suite. Elle était à Bangkok pour se détendre un peu. Sauf que les trombes d'eau que vous avez reçues correspondaient à un cyclone quelque part et qu'elle a dû partir en toute hâte pour le couvrir. C'est une dure, maintenant. »

J'essaie d'imaginer Kim en train de courir après les talibans insurgés et d'esquiver des arbres déracinés par le vent. Curieusement, je n'ai aucun mal à le faire.

« C'est drôle qu'elle soit devenue reporter de guerre, dis-je. Une trompe-la-mort.

— Oui, c'est tordant.

— Non, je veux dire que Kim, toi et moi, on vient de l'Oregon et pourtant, tous les trois, on est allés, disons, aux extrêmes. Reconnais qu'il y a là quelque chose de bizarre.

— Ce n'est pas bizarre du tout, réplique Mia en agitant une boîte de cornflakes. On a tous été coulés dans le même moule. Tiens, prends un peu de céréales. »

Je n'ai absolument pas faim, mais je m'assieds quand même. Parce que je viens de retrouver ma place à la table de la famille Hall.

Brusquement, j'ai conscience du temps qui passe. Il est bientôt quinze heures. La journée est à moitié entamée, ce soir je dois être à l'aéroport et une tournée m'attend. J'écoute le tic-tac de l'antique pendule sur le mur et je garde le silence un peu plus longtemps que je ne le devrais avant de parler.

Je me sens étrangement calme.

« On a tous les deux un avion à prendre, dis-je à Mia. Il va falloir que je m'en aille. Est-ce qu'il y a des taxis par ici ?

— Non, on entre et on sort de Manhattan sur des radeaux », plaisante-t-elle.

Puis elle ajoute :

« Tu peux appeler une voiture. »

Je me lève et me dirige vers la cuisine, où le téléphone est posé sur le plan de travail.

« Quel est le numéro d'ici ?

— Sept cent dix-huit…, commence-t-elle, puis elle s'interrompt. Attends ! »

Sur le moment, je crois qu'elle fait un effort de mémoire, mais je croise son regard et j'y lis une hésitation, presque une supplication.

« Il y a encore quelque chose, poursuit-elle à voix basse. Quelque chose que j'ai et qui t'appartient, en fait.

— Mon T-shirt des Wipers ? »

Elle fait signe que non.

« Il y a longtemps que je ne l'ai plus, j'en ai peur ! Viens, c'est là-haut. »

Je la suis dans l'escalier dont les marches craquent. Sur l'étroit palier, j'aperçois sur la droite sa chambre mansardée. Mia ouvre une porte sur la gauche et me fait entrer dans un petit studio. Dans un angle se trouve un placard avec un digicode. Elle se dirige vers lui, compose le code et l'ouvre.

Quand je vois ce qu'elle en sort, ma première réaction est de penser : *Tiens, ma guitare !* Mais oui, Mia garde ma vieille guitare électrique, la Les Paul Junior, dans sa petite maison de Brooklyn. Celle que j'avais achetée d'occasion quand j'étais ado, avec l'argent que je gagnais en livrant des pizzas. Celle dont je me suis servi pour enregistrer tous mes titres, *Dommage collatéral* inclus. Celle, aussi, que j'avais donnée pour une vente aux enchères de charité. Ce geste que je n'ai jamais cessé de regretter.

Elle est là, dans son étui toujours orné des anciens stickers de Fugazi et de K Records, et même ceux du groupe du père de Mia. Rien n'a changé, ni la courroie, ni l'entaille que je lui ai faite en la laissant tomber du haut de la scène. Même l'odeur de la poussière m'est familière.

J'enregistre tout cela et il me faut quelques secondes avant de comprendre. Mia a *ma* guitare. C'est donc Mia qui l'a *acquise* pour une somme exorbitante, ce qui veut dire qu'elle savait qu'on la mettait aux enchères. Je parcours la pièce du regard. Parmi les accessoires de musique et les partitions entreposées, j'aperçois une pile de magazines avec ma photo en couverture. Je me souviens alors que sur le pont, Mia m'a expliqué pourquoi elle m'avait quitté en citant des paroles de *Roulette russe*.

Et soudain, c'est comme si j'avais porté des boules Quiès toute la nuit et qu'elles venaient de tomber. Tout ce qu'elles m'empêchaient d'entendre est maintenant clair. Mais ça fait un terrible vacarme.

Mia a ma guitare. C'est une chose banale et pourtant je crois que j'aurais été moins stupéfait si Teddy était sorti de ce placard. Brusquement, je me sens mal et je suis obligé de m'asseoir.

Debout devant moi, Mia tient la guitare par le manche et me la tend.

« Toi ? »

C'est tout ce que je suis capable d'articuler.

« Qui d'autre ? » demande-t-elle timidement.

Mon cerveau ne fonctionne plus. Je bafouille :

« Mais pour… Mais pourquoi ?

— Il fallait éviter qu'elle se retrouve au Hard Rock Café », répond-elle dans un éclat de rire qui ne parvient pas à dissimuler l'émotion dans sa voix.

« Pourtant, Mia… »

Je cherche mes mots, tel un noyé tentant de s'accrocher à une planche.

« Tu as dit que tu me détestais. »

Elle pousse un long soupir.

« Il me fallait quelqu'un à haïr. Et comme tu es la personne que j'aime le plus au monde, c'est tombé sur toi. »

Elle me tend toujours la guitare, mais je suis incapable de la prendre. Je ne pourrais même pas soulever une boule de coton.

« Et Ernesto ? » dis-je.

Elle hausse les sourcils, puis l'étonnement cède la place à l'amusement.

« C'est mon mentor, Adam. Mon ami. Il est *marié*. »

Elle s'interrompt, contemple quelques instants le sol. Quand son regard croise de nouveau le mien, je sens qu'elle est sur la défensive.

« D'ailleurs, qu'est-ce que ça peut te faire ? »

Dans ma tête, j'entends Bryn qui me dit : *Pourquoi ne retournes-tu pas avec ton fantôme ?* Mais elle se trompe. C'est elle qui vit avec un fantôme, celui d'un homme qui n'a jamais cessé d'en aimer une autre.

« Il n'y aurait jamais eu de Bryn si tu n'avais pas décidé que tu devais me haïr », dis-je.

Elle prend ça dans l'estomac.

« Je ne te hais pas. Je ne t'ai jamais haï, je pense. C'était juste de la colère. Et une fois que je l'ai regardée en face et que je l'ai comprise, elle s'est envolée. »

Elle prend une profonde inspiration avant de poursuivre :

« Je sais que je te dois des excuses. J'ai essayé de les formuler toute cette nuit, mais les phrases du genre "excuse-moi, je suis désolée" sont ridicules par rapport à ce que je t'ai fait. C'était mal, je sais, mais c'était nécessaire à ma survie à l'époque. Si cela peut te réconforter, sache que lorsque cela ne l'a plus été, je me suis retrouvée avec le poids de ma faute et le fait que tu me manquais terriblement. Et j'ai dû t'observer à distance, te voir réaliser tes rêves et vivre ce qui semblait être une existence idéale.

— Elle ne l'est pas.

— Je ne pouvais pas le savoir. Tu étais très loin de moi. Et je l'avais accepté. Comme punition pour ce que j'avais fait. Et puis voilà que… »

Elle hésite, s'interrompt.

« Voilà que quoi, Mia ?

— Voilà qu'Adam Wilde se pointe au Carnegie Hall le soir du concert le plus important de ma carrière. Et je ne prends pas ça comme une simple coïncidence, mais comme un cadeau. Un don qu'ils me font, eux. Pour mon premier récital, mes parents m'ont offert un violoncelle. Et pour celui-ci, c'est toi qu'ils m'ont offert. »

Un frisson me parcourt des pieds à la tête.

Mia s'essuie les yeux d'un revers de main et respire un bon coup.

« Bon, alors, tu la prends, cette guitare ? reprend-elle. Je te préviens, ça fait un bail que je ne l'ai pas accordée. »

Il m'est arrivé de faire ce genre de rêve. Mia qui me revenait, bien vivante. Mais même dans mes rêves, je savais généralement que ce n'était pas la réalité et j'anticipais la sonnerie du réveil. Malgré moi, je tends l'oreille. Rien. Et quand je me saisis du manche de la guitare, je sens les cordes et le bois bien réels. Ce sont eux qui me réveillent. Et Mia est toujours là.

Elle me lance un coup d'œil, puis elle regarde ma guitare, son violoncelle et enfin la pendule sur le rebord de la fenêtre. Je sais ce qu'elle veut. Il y a des années que j'ai envie de la même chose et je n'arrive pas à croire qu'elle le réclame après tout ce temps. Alors que nous n'avons plus le temps. Mais j'approuve d'un petit signe de tête. Elle branche la guitare, me passe le câble et allume l'ampli.

« Tu peux me donner le *mi* ? » dis-je.

Mia pince la corde de *mi* de son violoncelle. Je gratte ensuite un *la* mineur et tandis que les cordes vibrent, je sens un courant électrique me parcourir la moelle épinière. Il y a bien longtemps que je n'ai pas éprouvé ça.

Je regarde Mia. Elle est assise face à moi, le violon-celle entre les jambes. Elle a fermé les yeux et je sais qu'elle écoute quelque chose dans le silence. Soudain, elle semble l'avoir capté. Ses yeux s'ouvrent et me fixent. Elle saisit son archet et désigne ma guitare du menton.

« Prêt ? » interroge-t-elle.

Il y a mille choses que j'ai envie de lui dire, et en premier lieu que je suis prêt depuis toujours. Au lieu de quoi, je monte le volume de l'ampli, prends un médiator dans ma poche et me contente de répondre « oui ».

Vingt et un

Nous jouons pendant ce qui nous paraît être des heures, des jours, des années. À moins que ce ne soient des secondes. Je ne sais plus. Nous accélérons, ralentissons, faisons hurler nos instruments. Nous alternons rire et sérieux, calme et agitation. Mon cœur bat à tout rompre, mon sang vibre, tout mon corps exulte et je me souviens que le mot concert ne signifie pas qu'on est comme une cible face à des milliers d'étrangers. Il signifie être ensemble. En harmonie.

Quand nous nous arrêtons enfin, je suis en sueur et Mia est essoufflée, comme si elle venait de faire des kilomètres en courant. Nous restons ainsi sans rien dire, tandis que le rythme de nos respirations s'apaise simultanément. Je jette un coup d'œil à la pendule. Dix-sept heures passées. Mia suit mon regard et pose son archet.

« Et maintenant ? » demande-t-elle.

Je propose : Schubert ? Les Ramones ? tout en sachant que ce n'est pas le sens de sa question. Mais je ne pense qu'à continuer à jouer, parce que pour la première fois depuis une éternité, je n'ai envie de rien d'autre. Et j'ai peur de ce qui va se passer quand la musique s'arrêtera.

Mia tend le doigt vers la pendule.

« Je crois que tu vas manquer ton avion », constate-t-elle.

Je hausse les épaules. Peu importe qu'il y ait au moins dix autres vols pour Londres rien que ce soir.

« Et toi, tu vas pouvoir attraper le tien ?

— Je ne *veux* pas prendre le mien, dit-elle d'une voix timide. J'ai un jour de libre avant le début du récital. Je peux partir seulement demain. »

Soudain, j'ai la vision d'Aldous en train de faire les cent pas dans la salle d'attente de la compagnie Virgin et d'appeler mon téléphone portable resté sur la table de nuit de l'hôtel en se demandant où j'ai bien pu passer. Je pense à Bryn, qui, à Los Angeles, est dans l'ignorance du tsunami que va lui envoyer ce tremblement de terre new-yorkais. Et je prends conscience qu'avant de penser à ce qui va arriver, je dois m'occuper du présent.

« Il faut que je donne quelques coups de fil, dis-je à Mia. À mon manager, qui doit m'attendre… et à Bryn. »

Les coins de sa bouche retombent.

« Oh ! bien sûr, lance-t-elle en se levant avec une telle hâte que son violoncelle manque de se renverser. Le téléphone est en bas. Pour ma part, je devrais appeler Tokyo, mais je suis sûre que c'est le milieu de la nuit, là-bas. Donc, je vais envoyer un e-mail et appeler plus tard. Il y a aussi mon agence de voyages… »

Je la coupe.

« Mia ?

— Oui ?

— On va arranger ça.

— Tu crois ? »

Elle n'en paraît pas si sûre.

Je fais signe que oui, alors qu'en fait tout tourne dans ma tête. Mia me donne le téléphone sans fil et je gagne son petit jardin où, dans la lumière de l'après-midi, seules les cigales rompent le silence. Aldous décroche dès la première sonnerie. Dès l'instant où j'entends sa voix et où je me mets à parler, en commençant par lui assurer que je vais bien, je m'entends exposer mon plan comme si j'y avais réfléchi depuis longtemps. J'explique que je ne pars pas pour Londres maintenant, que je ne vais tourner aucune vidéo ni donner aucune interview, mais que je serai en Angleterre pour le début de notre tournée européenne et que je ne manquerai aucun de ces concerts. Je garde pour moi le reste du plan, dont une partie a germé dans ma tête la nuit dernière sur le pont sans que je sache comment, mais je pense qu'Aldous en a une petite idée.

Comme il n'est pas en face de moi, j'ignore sa réaction. En apparence, il reste imperturbable.

« Tu vas honorer tous tes engagements ? répète-t-il.

— Oui.

— Qu'est-ce que je dis au groupe ?

— Ils peuvent faire la vidéo sans moi, s'ils le veulent. Je les retrouverai au festival de Guildford et je leur expliquerai tout après. »

Guildford est le grand festival anglais par lequel nous démarrons notre tournée.

« Où est-ce qu'on peut te joindre entre-temps si l'on a besoin de toi ?

— Arrange-toi pour ne pas avoir besoin de moi. »

Le coup de fil suivant est plus pénible. Je n'aurais pas dû choisir aujourd'hui pour arrêter de fumer. Je remplace la cigarette par des exercices de respiration, comme les toubibs me l'ont appris, et je compose le numéro.

« J'ai bien pensé que c'était toi, dit Bryn en entendant ma voix. Tu as encore perdu ton téléphone ? Où es-tu ?

— Je suis toujours à New York. À Brooklyn. – Une pause, puis je lâche : – Avec Mia. »

Elle ne répond rien et je remplis le silence avec un monologue. Je raconte ce qui s'est passé, en précisant que c'est le hasard. J'explique qu'au fond ça n'a vraiment jamais bien marché entre elle et moi, du moins pas comme elle le voulait, et qu'en fin de compte j'ai été un compagnon vraiment nul. Je termine en lui souhaitant d'en trouver un autre qui sera plus à la hauteur.

« Ce ne sera pas très difficile », raille-t-elle avec un petit gloussement peu convaincant.

Je m'attends à une rafale de reproches et de récriminations, mais un nouveau silence s'installe. Au bout d'un moment, je reprends la parole.

« Tu es toujours là ?

— Oui. Je réfléchissais. Je me demandais si je n'aurais pas préféré qu'elle soit morte.

— Purée, Bryn !

— Oh ! la ferme ! Ce n'est pas à toi d'être outragé, il me semble. Et la réponse est non. Je ne souhaite pas sa mort. Quoique…

— Quoique ?

— Quoique je ne sois pas sûre de penser la même chose en ce qui te concerne. »

Sur ces mots, Bryn raccroche et je reste là, le téléphone à l'oreille, ne sachant si je dois prendre cette dernière phrase au pied de la lettre. En même temps, je me dis que cela n'a sans doute pas beaucoup d'importance. Je respire longuement l'air qui fraîchit un peu et je me laisse submerger par une vague de soulagement.

Quand je lève les yeux, quelques instants plus tard, je vois Mia debout derrière la baie coulissante, attendant que j'en aie terminé. Je lui fais un petit signe et elle s'avance lentement vers moi. Elle entoure le téléphone d'une main, comme si c'était un bâton de relais que je devais lui transmettre.

« Tout va bien ? interroge-t-elle.

— Je suis libéré de mes précédents engagements, comme on dit. »

Ses yeux s'arrondissent.

« De la tournée ?

— Non, pas de la tournée, mais de toutes les conneries qui la précèdent. Et de mes autres, euh… liens.

— Oh ! »

On reste ainsi un moment, un sourire idiot aux lèvres, tenant l'un et l'autre le téléphone. Finalement, je lui prends doucement l'appareil et je le pose sur la table de jardin sans lâcher sa main.

Puis je caresse son pouce avec le mien, d'un geste naturel qui est en même temps un privilège. Car c'est *Mia* que je touche. Et elle me le *permet*. Et non seulement elle me le permet, mais elle ferme les yeux et s'abandonne.

« Est-ce vraiment réel ? Ai-je vraiment l'autorisation de prendre cette main ? » dis-je en plaçant celle-ci contre ma joue où la barbe commence à pousser.

Elle me sourit. Un délice, ce sourire. Un merveilleux solo de guitare.

« Mmmm ! » murmure-t-elle en guise de réponse.

Je l'attire à moi. Un millier de soleils se lèvent dans ma poitrine.

« Et ça, ai-je l'autorisation de le faire ? » dis-je en la prenant dans mes bras et en l'entraînant dans une danse autour du jardin.

Son sourire s'agrandit encore.

« Tu l'as. »

Je passe mes mains sur ses bras nus. Je la fais tourner autour des pots de fleurs à la floraison éclatante et parfumée. J'enfouis mon visage dans ses cheveux et je respire son odeur, à laquelle se mêle celle de la nuit passée. Quand je lève les yeux, je m'aperçois qu'elle regarde le ciel.

« Tu crois qu'ils nous observent de là-haut ? » dis-je en effleurant d'un baiser la cicatrice sur son épaule, tandis que mon corps tout entier s'embrase.

« Qui ? demande-t-elle en se pressant contre moi avec un petit frisson.

— Ta famille. Tu sembles croire qu'ils gardent un œil sur toi. Tu penses qu'ils voient ça ? »

Cette fois, je la prends par la taille et je l'embrasse derrière l'oreille, de la façon qui la rendait folle et qui continue visiblement à le faire, à en juger par la manière dont elle plante ses ongles dans mes flancs, le souffle court. Il me vient à l'idée que mes questions peuvent avoir un côté glauque, mais ce n'est pas le cas. La nuit dernière, j'étais honteux à l'idée que ces morts puissent être témoins de ce que je faisais, mais en ce moment, sans vouloir qu'ils voient *ça*, je tiens à ce qu'ils *sachent* ce qui nous arrive.

« J'aimerais qu'ils me laissent un peu d'intimité, répond-elle en s'ouvrant comme un tournesol aux baisers que je dépose sur son cou. En tout cas, mes voisins, eux, peuvent voir ça. »

Elle me caresse les cheveux et c'est comme si je recevais une décharge électrique sur le cuir chevelu, version voluptueuse.

« Bonjour, voisins », dis-je en traçant avec un doigt de petits cercles à la base de sa clavicule.

Elle glisse la main sous mon T-shirt – mon T-shirt sale, qui sent la transpiration, mais qui par chance est noir. Ses doigts se font pressants, maintenant, et ils tapent sur ma peau un message d'urgence en morse.

« Si ça continue comme ça, mes voisins vont avoir droit à un show, chuchote-t-elle.

— Nous sommes des artistes, après tout », dis-je, en glissant à mon tour les doigts sous son chemisier et en les promenant de haut en bas de son buste. Nos deux peaux, privées l'une de l'autre depuis bien longtemps, s'attirent tels deux aimants.

Je la prends par le menton, puis je m'immobilise. Nous restons ainsi face à face, savourant l'instant présent. Puis, d'un seul coup, nous nous enlaçons avec force. Mia s'accroche à mes cheveux, entoure ma taille de ses genoux tandis que je saisis sa chevelure à pleines mains. Nos lèvres se cherchent, se trouvent, ne sachant comment combler le manque dont elles ont souffert pendant ces années perdues. Nous nous embrassons. Le courant électrique augmente de puissance. De quoi alimenter tout Brooklyn.

« Rentrons ! » lance Mia, sur un ton mi-suppliant, mi-impératif, et je l'emporte à l'intérieur de sa minuscule maison, toujours accrochée à ma taille, jusqu'au canapé où il y a quelques heures encore nous dormions séparément.

Cette fois, nous sommes bien éveillés. Et ensemble.

On s'endort, puis on se réveille au milieu de la nuit, affamés. On se fait livrer un repas, qu'on mange dans son lit. C'est comme dans un rêve. Sauf que le plus incroyable, c'est de me réveiller à l'aube. Avec Mia. En voyant sa forme endormie à mon côté, je suis l'homme le plus heureux du monde. Je l'attire contre moi et je me rendors.

Mais quand je me réveille à nouveau quelques heures plus tard, Mia est assise sur une chaise près de la fenêtre, les genoux dans les mains, emmitouflée dans un vieux jeté de lit fait au crochet par sa grand-mère. Elle a l'air très malheureuse et la peur explose en moi avec la violence d'une grenade. C'est pire que tout ce que je pouvais craindre. Et la seule pensée qui me vient, c'est : *Je ne peux pas te perdre à nouveau. Cette fois, je me tuerai.*

« Qu'est-ce qui ne va pas ? »

Je pose la question tant que j'en ai encore le courage. Sinon, je risque de faire un truc idiot, du genre m'en aller avant d'avoir le cœur complètement carbonisé.

« Je pensais au lycée, répond Mia d'une voix triste.

— Ça collerait le cafard à n'importe qui. »

Elle ne mord pas à l'appât. Au lieu d'éclater de rire, elle s'affaisse un peu plus sur sa chaise.

« Je pensais qu'on était de nouveau dans le même bateau. Quand moi j'étais sur le point d'aller à Juilliard, et toi… d'aller là où tu es maintenant. »

Elle baisse les yeux et entortille un fil du jeté de lit autour de son index, jusqu'à ce que l'extrémité du doigt blanchisse.

« La différence, c'est qu'à l'époque on a eu plus de temps pour se faire du souci à ce sujet. Maintenant, on a une journée, ou plutôt, on a eu une journée. La nuit dernière a été merveilleuse, mais ce n'est qu'une nuit. Je dois vraiment partir pour le Japon dans quelque chose comme sept heures. Et toi, tu as le groupe. Ta tournée. »

Elle se tait, passe ses mains sur ses yeux.

« Arrête, Mia ! On n'est *plus* au lycée, voyons ! »

Ma voix résonne dans la chambre.

Elle me lance un regard interrogateur et je poursuis :

« Ma tournée ne commence que dans une semaine. »

Je sens un infime espoir flotter entre nous.

« Et tu veux que je te dise, Mia, je meurs d'envie de manger des sushis. »

Je m'attends à autre chose que le sourire timide qu'elle m'adresse.

« Tu m'accompagnerais au Japon ? interroge-t-elle.

— C'est comme si j'y étais déjà.

— Ce serait merveilleux, mais après… Je sais qu'on peut envisager quelque chose, mais je vais être tout le temps sur la route et… ? »

Comment ne comprend-elle pas, alors que c'est clair comme de l'eau de roche pour moi ?

« Je serai ton groupie, ton roadie, tout ce que tu veux. Partout où tu iras, j'irai. Si tu le veux. Et si tu ne veux pas, je comprendrai.

— Je le veux, bien sûr. Mais comment fera-t-on, avec ton programme ? Avec le groupe ? »

Je me tais un instant. Si je le dis à haute voix, ça va être réel, finalement.

« Le groupe, c'est terminé. Pour moi, en tout cas. Après cette tournée, j'arrête.

— Non ! »

Mia secoue la tête avec une telle violence que ses longs cheveux balaient le mur derrière elle. Je ne connais que trop bien son expression déterminée et je sens mon cœur se serrer.

« Tu ne peux pas faire ça pour moi, ajoute-t-elle sur un ton beaucoup plus doux. Je ne veux plus de passe-droits.

— De passe-droits ?

— Depuis trois ans, tout le monde m'a accordé des passe-droits, sauf peut-être les profs de Juilliard. Pire, je m'en suis accordé à moi-même, et ça ne m'a pas aidée. Je ne veux pas être quelqu'un qui se contente de recevoir ce qu'on lui donne. Je n'accepterai pas que tu quittes ce que tu aimes tant pour porter mes valises et jouer les nounous.

— En fait, je crois que je n'aime plus la musique, dis-je dans un murmure.

— À cause de moi, murmure-t-elle tristement.

— À cause de la vie. Je ferai toujours de la musique. Peut-être même que j'enregistrerai encore, mais là, tout de suite, j'ai besoin d'un temps mort avec ma guitare pour essayer de retrouver ce qui m'a motivé à l'origine. Que tu fasses partie de l'équation ou non, je quitte le groupe. Quant à la nounou, c'est *moi* qui en ai besoin d'une. C'est *moi* qui me trimballe des valises. »

J'essaie de plaisanter, mais Mia m'a toujours percé à jour. Les vingt-quatre heures qui viennent de s'écouler sont là pour le prouver.

Elle me dévisage avec un regard qui ressemble à un rayon laser.

« Tu sais, j'ai beaucoup pensé à ça ces dernières années, dit-elle d'un ton étouffé. Je me demandais qui était à *tes* côtés. Qui te tenait la main pendant que tu pleurais tout ce que tu avais perdu, *toi*. »

Les paroles de Mia font vibrer quelque chose en moi et soudain les larmes ruissellent de nouveau sur mes joues. C'est pas vrai ! Je n'avais pas pleuré depuis trois ans, et c'est la seconde fois en moins de trois jours que ça m'arrive.

Elle se rapproche de moi.

« C'est à mon tour d'être là pour toi », chuchote-t-elle en m'enveloppant dans le jeté de lit, tandis que je sanglote de plus belle.

Elle reste là à me serrer dans ses bras jusqu'à ce que je récupère mon chromosome Y. Puis elle me regarde, l'air pensif.

« Ton festival a bien lieu samedi prochain ? demande-t-elle.

— Oui.

— J'ai les deux récitals au Japon, plus un en Corée jeudi, ce qui me libère vendredi. Et quand on voyage de l'est vers l'ouest, on gagne un jour. Mon prochain concert n'est qu'une semaine plus tard, à Chicago. Donc, si l'on prend un vol direct Séoul-Londres…

— Qu'est-ce que tu essaies de me dire, Mia ? »

Elle me regarde d'un air incroyablement timide, comme s'il y avait le moindre risque que je refuse. Comme si ce n'était pas ce dont j'avais toujours eu envie.

« Est-ce que je peux aller au festival avec toi ? »

Vingt-deux

« Pourquoi que je peux jamais aller à des concerts ? » a demandé Teddy.

Nous étions tous réunis autour de la table : Mia, Kat, Teddy, Denny et moi, le troisième enfant de la famille, qui avais pris l'habitude de manger avec eux. Difficile de me le reprocher. Denny faisait beaucoup mieux la cuisine que ma mère.

« Qu'est-ce qu'il y a, Little Man ? »

Denny a posé la question tout en déposant une portion de purée dans l'assiette de son fils, à côté du saumon grillé et des épinards que Teddy avait tenté sans succès de refuser.

« J'ai vu dans les vieux albums de photos que Mia allait tout le temps au concert. Même quand elle était bébé. Alors que moi, j'ai presque huit ans et j'ai pas été à un seul ! »

Kat a eu un petit rire.

« Tu as eu sept ans il y a cinq mois, a-t-elle fait remarquer.

— N'empêche. C'est pas juste.

— Qui t'a dit que la vie était juste ? Certainement pas moi. Je pense qu'on apprend en prenant des coups. »

Teddy s'est tourné vers une cible plus facile.

« Papa ?

— C'est à mes concerts que Mia assistait quand elle était toute petite, Teddy. On était en famille. »

Mia est intervenue.

« Mais tu vas au concert ! a-t-elle protesté. À mes récitals. »

Teddy a pris un air aussi dégoûté que lorsque son père lui avait servi des épinards.

« Ça compte pas ! Je veux aller à des concerts qui font du bruit, avec le gros truc sur les oreilles. »

Il parlait du casque antibruit dont ses parents équipaient leur petite Mia à l'époque. Denny jouait dans un orchestre punk très, très bruyant.

« Le gros truc sur les oreilles a pris sa retraite, j'en ai peur », a répondu Denny.

Denny avait quitté le groupe depuis longtemps. C'était maintenant un enseignant qui s'habillait vintage et fumait la pipe.

« Tu pourrais venir à l'un de mes shows », ai-je proposé en enfournant une bouchée de saumon.

Tout le monde s'est tourné vers moi, la fourchette en l'air. Chacun, sauf Teddy, arborait une expression désapprobatrice. Denny avait l'air épuisé en m'entendant relancer le débat, Kat semblait me reprocher de contester son autorité parentale et Mia, qui pour une raison inconnue dressait un mur entre mon groupe et sa famille, me regardait d'un œil noir. Teddy, lui, était à genoux sur sa chaise et battait des mains.

« Teddy ne peut se coucher aussi tard, a déclaré Kat.

— Tu laissais bien Mia se coucher tard quand elle était petite ! a rétorqué l'intéressé.

— *Nous* ne pouvons pas nous coucher aussi tard, a affirmé Denny.

— Et je ne pense pas que ce soit approprié », a conclu Mia.

Ça m'a énervé, comme chaque fois. Parce que c'était exactement ce que je n'arrivais pas à comprendre de la part de Mia. Elle et moi avions une même passion pour la musique, et le fait que je sois un rocker n'était certainement pas étranger à mon charme. Nous savions tous deux que sa maison, où nous trouvions un terrain commun, était un véritable havre pour nous. Mais elle avait pratiquement interdit à sa famille d'assister à mes concerts. Ils n'y étaient jamais venus depuis que nous étions ensemble. Kat et Denny laissaient pourtant entendre que cela leur plairait, mais Mia trouvait toujours des excuses pour les en empêcher.

« Pas approprié ? Tu as dit que ce ne serait pas "approprié" que Teddy vienne à mon concert ? ai-je demandé en m'efforçant de garder mon calme.

— Oui », a-t-elle répondu, sur la défensive.

Ses parents ont échangé un regard. La réticence qu'avait suscitée ma suggestion avait laissé la place à de la sympathie à mon égard. Ils savaient à quoi s'en tenir quand Mia n'était pas d'accord avec quelque chose.

« Écoute. D'abord, tu as seize ans. Tu n'es pas obligée de parler comme un prof. Donc, laisse tomber le mot "approprié". Ensuite, je voudrais bien savoir pourquoi ça ne l'est pas, approprié, punaise ! »

Kat s'est levée et a ramassé l'assiette de son fils.

« Teddy, tu peux manger dans le séjour en regardant la télé.

— Ah non ! je veux regarder *ça* ! »

Denny l'a pris par le coude.

« Bob l'Éponge ? a-t-il suggéré.

— À propos, ai-je lancé, le concert dont j'ai parlé fait partie du festival qui se déroulera sur la côte le mois prochain. Il aura lieu l'après-midi, pendant un week-end, et à l'extérieur, donc ce ne sera pas trop bruyant. C'est pourquoi je pensais que ce serait bien pour Teddy. Et pour vous tous, en fait. »

L'expression de Kat s'est radoucie.

« C'est tentant », a-t-elle dit.

Puis elle a fait un geste vague en direction de Mia, comme pour lui dire : *Mais tu as d'autres chats à fouetter.*

Kat et Denny ont quitté la cuisine en emmenant Teddy. Mia était affalée sur sa chaise, avec un air mi-coupable, mi-je-m'en-foutiste.

« C'est quoi, ton problème ? me suis-je écrié. Qu'est-ce que tu reproches à mon groupe par rapport à ta famille ? Tu trouves qu'on n'est pas montrables ?

— Mais non, voyons !

— Ça t'ennuie que ton père et moi on parle tout le temps musique ?

— Non, vos discussions sur le rock ne me gênent pas du tout.

— Alors quoi, Mia ? »

Ses yeux sont devenus humides et elle a essuyé rageusement une larme qui perlait.

« Dis-moi ce qui se passe », ai-je repris avec douceur, cette fois.

Les larmes de crocodile ne sont pas le style de Mia, ni les larmes tout court, d'ailleurs.

Elle a secoué la tête, bouche close.

« Dis-le-moi, Mia. Ça ne peut pas être pire que ce que je pense, c'est-à-dire que tu as honte de Shooting Star parce que pour toi on sent le soufre.

— Tu sais bien que ce n'est pas ça ! Non, c'est juste… »

Elle s'est tue un instant, comme si elle réfléchissait avant de prendre une grande décision. Puis elle s'est jetée à l'eau :

« Le groupe. Quand tu es avec le groupe, je dois déjà te partager avec les autres. Alors je ne veux pas y ajouter ma famille. »

Cette fois, elle n'a pu retenir ses larmes.

« Idiote, ai-je murmuré. Tu ne me partages pas. Tu m'as tout à toi. »

Mia a cédé et la famille Hall est venue au festival. Cela a été un merveilleux week-end. Vingt groupes du Nord-Ouest américain, et pas un nuage en vue. L'événement a fait date. Il a donné naissance à un CD live et à une série de festivals qui existent encore aujourd'hui.

Teddy a tenu à porter le casque antibruit, ce qui a obligé sa mère à farfouiller pendant une heure dans des cartons du sous-sol pour le retrouver.

Et Mia, qui restait généralement en coulisses pendant toute la durée des concerts de Shooting Star, a passé celui-ci à danser avec son petit frère, juste devant la scène.

Vingt-trois
Une semaine plus tard…

Un, tu m'as inspecté
Deux, tu m'as disséqué
Trois, tu m'as rejeté
Quand donc vas-tu
Me ressusciter

», *Dommage collatéral*, plage 1

terrissons à Londres, il tombe des cordes,
nous ne sommes pas dépaysés par rap-
gon d'origine. Il est dix-sept heures, et
e à Guildford dans la soirée. Après le
in soir, le compte à rebours jusqu'à la
commencer. Mia et moi, nous avons
ng pour les trois prochains mois, pen-
es respectives, avec des breaks de
quand les dates nous permettront de
pourrait être mieux, mais à côté des
nnées, ce sera presque le paradis.

Il est plus de vingt heures quand nous arrivons à l'hôtel.
J'ai demandé à Aldous de me retenir une chambre au

même endroit que les autres membres du groupe, et pas seulement pendant ce festival, mais pour tout le reste de la tournée. Quels que soient leurs sentiments à la perspective de mon départ de Shooting Star, ce n'est pas parce que je résiderai à part que cela les atténuera. Je n'ai parlé de Mia à personne, pas même à Aldous, et, jusqu'à maintenant, nous avons réussi par miracle à éviter la presse people. Apparemment, nul ne sait que nous venons de passer ensemble une semaine en Asie. La nouvelle idylle de Bryn avec un acteur australien a monopolisé l'attention pendant ce temps.

À la réception, je trouve une note m'informant que le groupe dîne en privé dans l'hôtel et m'attend dans l'atrium. J'ai soudain l'impression d'être conduit à l'échafaud. Après les quinze heures de vol depuis Séoul, je n'ai qu'une envie, prendre une douche. Je préférerais même remettre la rencontre à demain, mais Mia pose sa main sur la mienne.

« Tu dois y aller, Adam, murmure-t-elle.

— Tu m'accompagnes ? »

J'ai honte de lui demander ça. Elle vient de donner au Japon et en Corée trois concerts d'une étonnante intensité, qui ont reçu un accueil délirant, et elle arrive en plein milieu de mon psychodrame après avoir parcouru en avion la moitié de la planète. Mais je ne pourrai supporter ce qui m'attend si elle n'est pas avec moi.

« Tu en as vraiment envie ? interroge-t-elle. Je ne veux pas déranger.

— Si quelqu'un dérange, c'est moi. »

Le bagagiste vient prendre nos valises, tandis que le concierge nous guide à travers le hall. L'hôtel, installé dans un vieux château, a été investi par des rockers et des musiciens de toute sorte, qui me saluent au passage, mais je suis trop nerveux pour répondre. Nous arrivons dans un atrium aux lumières douces où l'on a dressé un buffet. Tous les membres du groupe sont là.

Liz est la première à se retourner. Depuis la tournée de *Dommage collatéral*, nos rapports ont changé, mais je ne sais comment décrire le regard qu'elle me lance. Disons qu'on y lit l'immense déception que je lui cause et l'effort qu'elle fait pour s'élever au-dessus de ça et prendre un air désinvolte, comme si j'étais un simple fan ou l'une des nombreuses personnes qui lui réclament une faveur que rien ne l'oblige à accorder.

« Adam, dit-elle, en me saluant d'un bref signe de tête.

— Liz… »

La voix tonitruante de Fitzy m'interrompt.

« Alors, con, c'est sympa de nous rejoindre ! » s'exclame-t-il, sur un ton mi-sarcastique, mi-chaleureux.

Mike, lui, ne dit rien. Il m'ignore totalement.

Je sens qu'on me frôle l'épaule. Mia, qui était jusque-là derrière moi, vient de faire un pas en avant.

« Bonsoir tout le monde ! » lance-t-elle.

Liz se fige. Elle a l'air un peu effrayée, comme si elle croyait voir un fantôme. Puis sa lèvre inférieure se met à trembler et je vois le visage de ma solide, ma virile batteuse, qui se défait.

« Mia ? demande-t-elle d'une voix chevrotante. Mia ? » répète-t-elle. Maintenant, les larmes coulent sur ses joues, tandis qu'elle se précipite vers Mia et la serre contre son cœur.

Quand elle la lâche enfin, elle la tient à bout de bras. Elle la regarde, me regarde, la regarde à nouveau.

« Mia ! » s'écrie-t-elle, répondant à sa propre question.

Puis elle se tourne vers moi. Et si je ne suis pas pardonné, au moins je suis compris.

Il pleut toute la journée du lendemain. « Bel été anglais que nous avons là », plaisante-t-on à droite, à gauche. D'habitude, pendant ces grands festivals, je me barricade, mais cette fois, prenant conscience que c'est sans doute le dernier du genre auquel j'assiste avant longtemps, du moins en tant que participant, je change d'attitude. Je vais écouter certains groupes sur les scènes secondaires, je renoue avec quelques vieux amis et d'anciennes connaissances, et je bavarde même avec deux ou trois journalistes rock. Je ne dis pas un mot sur la séparation du groupe. Cela se saura en son temps et je laisserai les autres décider de la façon de l'annoncer. En revanche, je me fends de quelques brefs commentaires sur ma rupture avec Bryn, puisque la nouvelle est déjà dans les tabloïds. Interrogé sur ma mystérieuse compagne, je réponds simplement « no comment ». Je sais que *tout* ne tardera pas à être public et, si je tiens à épargner ce cirque à Mia, je me fiche que le monde entier sache qu'on est ensemble.

Lorsque arrive le tour de Shooting Star, sur le coup de vingt et une heures, la pluie a cédé la place à une bruine qui semble danser dans le crépuscule de cette fin d'été. La foule a accepté depuis longtemps d'avoir les pieds dans la boue et se balade dans la gadoue comme si c'était Woodstock.

Avant qu'on entre en scène, le groupe était nerveux. C'est toujours ainsi au cours des festivals. L'enjeu est plus important que lors des concerts habituels, même donnés dans un stade, car nous nous produisons devant un public immense et aussi d'autres musiciens. Sauf que ce soir, je suis calme. Je n'ai rien à perdre. Ou alors j'ai peut-être déjà tout perdu et tout regagné, et, s'il restait encore quelque chose à perdre, cela n'aurait rien à voir avec ce qui se passe sur cette scène. Ce qui explique sans doute pourquoi je prends un tel plaisir à jouer nos nouvelles chansons sur ma vieille Les Paul Junior, une autre revenante. En me voyant l'extraire de son étui fatigué, Liz n'en croit pas ses yeux.

« Je croyais que tu t'étais débarrassé de cette antiquité, m'a-t-elle lancé.

— Moi aussi, je le croyais », ai-je répliqué en souriant à Mia d'un air complice.

Nous enchaînons les chansons du nouvel album, puis nous ressortons quelques titres de *Dommage collatéral*, et avant même que je m'en aperçoive, nous arrivons presque à la fin du concert. Je consulte la setlist qui est scotchée à l'avant de la scène. En capitales, Liz a inscrit le titre de la dernière chanson à interpréter avant notre sortie et les inévitables rappels : « Animé ». Notre hymne, comme l'appelait Gus Allen, notre producteur. Le plus long cri d'angoisse de *Dommage collatéral*, selon la critique. Et sans doute notre plus grand succès. En tournée, il fait un tabac avec le public, parce que nos fans adorent reprendre en chœur le refrain.

C'est aussi l'un des rares titres sur lesquels nous avons fait un travail de production, en ajoutant une section de violons sur la plage enregistrée, dont nous ne disposons pas pour la version live. Du coup, lorsque nous l'attaquons, le son du violoncelle de Mia résonne dans ma tête, couvrant les hurlements excités du public. Pendant quelques instants, je nous imagine tous les deux dans une chambre d'hôtel anonyme, interprétant ensemble, chacun avec son instrument, cette chanson que j'ai écrite pour elle. Et ça m'envoie une putain de bouffée de bonheur.

Je chante avec mes tripes. Puis nous en venons au refrain. *Déteste-moi. Dévaste-moi. Anéantis-moi. Re-*

crée-moi. Re-crée-moi. Ne vas-tu pas, ne vas-tu pas, ne vas-tu pas me re-créer ?

Sur l'album, le refrain est repris encore et encore, disant la rage et la perte, et pendant les concerts, j'ai pris l'habitude de tendre le micro en direction du public et de le laisser chanter à ma place. Ce que je fais. Et comme des fous, les gens se mettent à chanter, psalmodiant ma supplication.

Je les laisse continuer et je fais le tour de la scène. Comprenant ce qui se passe, les autres membres du groupe répètent en boucle le refrain. Et lorsque je me rapproche du côté de la scène, je vois que Mia est là, à cet endroit où elle s'est toujours sentie le plus à l'aise, quoique à l'avenir, vraisemblablement, c'est elle qui sera sous les projecteurs et moi dans les coulisses. Et c'est bien ainsi.

Le public plaide toujours ma cause et je continue à gratter ma guitare jusqu'à ce que je sois assez près de Mia pour croiser son regard. Alors je me mets à chanter le refrain. À lui chanter le refrain. Et elle me sourit, et c'est comme si nous étions tous les deux seuls au monde, seuls à savoir ce qui se passe. À savoir que cette chanson que nous chantons tous ensemble est en train d'être réécrite. Ce n'est plus désormais une supplication rageuse adressée au vide. Ici même, sur cette scène, en face de quatre-vingt mille personnes, elle est en train de devenir autre chose.

C'est notre nouvelle promesse.

Remerciements

La coutume veut que les écrivains remercient séparément leurs éditeurs et leurs agents, mais quand je considère ma carrière littéraire, je m'imagine toujours entre mon éditrice, Julie Strauss-Gabel, et mon agent, Sarah Burnes. Ces deux farouches et brillantes guerrières du livre sont si intimement liées à mon œuvre, tant sur le plan de la création que de la guidance, que j'ai du mal à les séparer. Sarah me prodigue conseils et recommandations et m'aide à garder les choses en perspective. Et le principal talent de Julie est de me donner les clés pour déverrouiller mes intrigues. L'une et l'autre sont mes piliers, des piliers jumeaux.

Mais, comme le dit le proverbe, il faut tout un village… Dans le cas de Julie, ce village consiste en de nombreuses personnes dévouées du Penguin Young Readers Group. Je vais éviter qu'on abatte des arbres en ne les nommant pas tous ici, mais ils sont des dizaines dans les différents services : commercial, marketing, presse, artistique, fabrication et on-line. Et je les remercie chaque jour du fond du cœur. Bravo à Don Weisberg, Lauri Hornik, Lisa Yoskowitz et Allison Verost, qui est à parts égales attachée de presse, psychothérapeute et amie.

Le village de Sarah à la Gernert Company inclut Rebecca Gardner, Logan Garrison, Will Roberts et la formidable Courtney Gatewood, qui, pour quelqu'un censé conquérir le monde, est d'une gentillesse remarquable.

Mon village français inclut le formidable Philippe Robinet, de Oh ! Éditions, merveilleux et magistral éditeur, et sa collègue Béatrice Calderon, qui maîtrise parfaitement le faire-savoir. Merci également à Marie-France Girod pour sa traduction. Et mille mercis à Céline Faure, passée en un temps record de l'état d'admiratrice à celui d'amie, puis d'indispensable « birthday twin », puisque nous sommes nées le même jour. *Bisous !*

Merci à Alisa Weilerstein, qui m'a inspirée et m'a donné de son temps précieux pour m'aider à comprendre la trajectoire professionnelle d'une jeune violoncelliste. Merci également à Lynn Eastes, coordinatrice en traumatologie à l'Oregon Health and Sciences University, pour m'avoir éclairée sur ce que pouvait être le processus de convalescence et de rééducation de Mia. Merci à Sean Smith, qui m'a donné sa vision de l'intérieur de l'industrie cinématographique (et un million d'autres choses). Tout ce que j'ai dit d'exact dans ces domaines, je le dois à ces personnes. Toutes les erreurs éventuelles ne sont imputables qu'à moi-même.

Je suis très reconnaissante à la Société Edna St. Vincent Millay de m'avoir généreusement autorisée à citer l'un des sonnets que j'ai toujours préférés : « Love is not all : it is not meat nor drink. » La plupart des poèmes d'Edna St. Vincent Millay sont incroyablement romantiques et en même temps d'une certaine audace, aujourd'hui encore. Je n'ai inclus dans mon texte que la deuxième moitié de ce sonnet et j'encourage vivement mes lecteurs à prendre connaissance de la totalité de cette œuvre.

Merci à toutes les personnes qui ont lu mon texte à ses différentes étapes : Jana Banin, Tamara Glenny, Marjorie

Ingall, Tamar Schamhart et Courtney Sheinmel, pour le parfait mélange de critiques et d'encouragements.

Merci à mon autre village – les gens de l'endroit où je vis – pour m'avoir donné un coup de main avec mes enfants et, plus généralement, pour m'avoir apporté leur soutien. Isabel Kyriacou et Gretchen Sonju, je vous serai éternellement reconnaissante !

Merci à toute la famille Christie pour sa bonne grâce et sa générosité sans faille.

Merci à ma famille, les Forman, les Schamhart, et les Tucker, pour tous leurs encouragements. Des remerciements particuliers à ma sœur, qui a vendu elle-même mes livres à la moitié de la population de Seattle.

Merci à mes filles : Denbele, arrivée au sein de notre famille au beau milieu de l'écriture de ce livre, et qui, si elle a par hasard trouvé bizarre que sa nouvelle maman semble de temps à autre entrer mystérieusement en communication avec un angoissé de vingt et un ans, n'a jamais permis que cela entame son exubérance. Merci à Willa, qui m'a fourni par inadvertance beaucoup des noms de personnages/films/groupes fictionnels de ce livre, comme seule une enfant de quatre-cinq ans peut le faire. Je vais certainement devoir augmenter ton argent de poche.

Merci à mon mari, Nick, pour tes critiques sans concessions qui me forcent toujours à mettre la barre très haut. Pour tes playlists sublimes qui apportent de la musique dans ma vie (et dans mes livres). Pour m'avoir donné tous les petits détails sur le groupe. Et d'être la raison pour laquelle je ne peux apparemment pas m'arrêter d'écrire des histoires d'amour sur des guitaristes.

Enfin, merci à tous les libraires, les bibliothécaires et les bloggers d'aider les livres à décoller.